ndersε· **Press**

Toby Forward

Fanny, Großpapa
und das geheimnisvolle
Fläschchen

Für Charles und Nigel

Toby Forward

Fanny, Großpapa und das geheimnisvolle Fläschchen

Ein phantastischer Roman
Aus dem Englischen von Wolfram Sadowski
Mit Zeichnungen von Egbert Herfurth

Der Kinderbuchverlag ▮ Berlin

1. Kapitel

Alle sprachen ganz leise, und als Fanny mit lauter Stimme etwas fragte, sagten alle: „Pssst!"

Da waren Tante Clara, die ständig schniefte, Onkel George und Tante Nell, die sich immer gegenseitig ins Wort fielen, Fannys Cousin Crawly, der Sohn von Onkel George und Tante Nell, der in Wirklichkeit Crawford hieß, aber das war so ein alberner Name, und er war tatsächlich so ein Kriecher, dass es einfach zu schade schien, ihn nicht dementsprechend Crawly zu nennen; und natürlich waren da Fannys Mutter und ihr Vater und Gilbert, der Hund.

„Ich hab doch nur gefragt", wiederholte Fanny mit, wie sie hoffte, leiserer Stimme.

„Psst!", sagte Crawly.

Tante Clara schniefte.

„Es ist ganz egal, was du gefragt hast", sagte Onkel George, „es ist …"

„… der Ton, in dem du fragst, der ganz unangebracht ist", fuhr Tante Nell fort. „Du sprichst …"

„… immer so laut", beendete Onkel George die Belehrung.

„Sie sollte mehr an andere denken", sagte Crawly.

Fanny hasste das selbstzufriedene Grinsen auf

seinem Gesicht, als er das sagte, und sie schwor sich, dass sie ihn dafür schon noch drankriegen würde.

„So ist's lieb, mein Junge", sagte Tante Nell.

Tante Clara schniefte.

Tante Nell fuhr fort: „Crawford ist immer …"

„… so rücksichtsvoll", sagte Onkel George. „Er denkt …"

„… an anderer Leute …", sagte Tante Nell.

„… Gefühle", schloss Onkel George.

„Nun ja", gab Crawly zu. „Ich versuche eben, freundlich zu sein."

Fanny versuchte, sich nicht zu übergeben. Hilfe suchend blickte sie ihre Mutter an.

„Fanny tut ihr Bestes", sagte ihre Mutter. „Sie ist auch ein liebes Mädchen. Aber sie begreift eben nicht."

Gilbert bohrte Fanny seine triefende Nase in die Hüfte. Fast glaubte sie, er wischte sich absichtlich seine Nase an ihr ab, weil Hunde keine Taschentücher haben. Heimlich sah sie an sich hinunter, und da war doch tatsächlich eine silberne Schleimspur an ihrem Bein.

Gilbert grinste zu ihr hoch und ließ seine rosarote Zunge seitlich aus seinem freundlichen Gesicht heraushängen. Fanny entschied sich, dass es nicht seine Schuld gewesen war und dass sie nicht auch ihn noch drankriegen würde. Sie langte hinunter und zauste ihm das Fell um den Hals. Gilbert schmiegte sich enger an sie, und Fanny freute sich sehr, ihn bei sich zu haben. Sie lächelte zu ihm hinunter.

„Seht mal", sagte Crawly. „Jetzt lacht Fanny. Großpapa geht's wirklich schlecht, und Fanny lacht darüber."

Tante Clara schniefte.

Fanny krallte sich in das Fell an Gilberts Hals und schwor, dass sie, koste es, was es wolle, Crawly alle Knochen im Leib brechen würde, sobald sie allein mit ihm wäre.

„Über so was lacht man nicht", sagte Onkel George. „Die Sache ist sehr …"

„… ernst", sagte Tante Nell. „Darum sind wir ja von so weit hergekommen, um …"

„… Großpapa zu sehen", sagte Onkel George, „bevor er …" Tante Clara schniefte.

„… stirbt", sagte Crawly.

Gilbert zitterte und schmiegte sich noch enger an Fanny.

„Jetzt reicht's aber!", schnauzte Fannys Mutter Crawly an.

„So darfst du nicht …", sagte Onkel George.

„… mit ihm reden", sagte Tante Nell.

„Schnief!"

Fannys Unterlippe zitterte, und eine Träne kullerte ihr das Gesicht hinunter.

„Huhuu!", jammerte Crawly. „Sie hat mich angeschrien."

Gilbert wandte sich Crawly zu und knurrte.

Die Tür öffnete sich, und Fannys Vater schaute herein. „Was, zum Kuckuck, geht hier vor?", fragte er. „Das ist ja ein fürchterlicher Lärm. Wisst ihr denn nicht, dass Großpapa gerade …?"

„Ja", sagte Fannys Mutter schnell. „Du solltest ihn oben nicht allein lassen."

„Er will Fanny sehen", sagte er.

Plötzlich war alles still. Fanny zitterte.

„Willst du hochgehen und ihn sehen?", fragte ihre Mutter.

Fanny nickte. Reden konnte sie nicht. Da steckte etwas in ihrer Kehle, das war so eine Mischung aus Traurigkeit und Furcht, und sie hatte schreckliche Angst, dass sie das heraushören würden, wenn sie irgendetwas sagte.

„Also komm", sagte ihr Vater. Fanny lief zu ihm hinüber und ergriff seine große Hand mit ihrer kleinen.

„Und bitte", sagte er zu den anderen, „versucht mal, möglichst leise zu sein."

Er schloss die Tür, aber nicht schnell genug, um nicht noch mitzubekommen, wie Tante Clara ihren Gefühlen freien Lauf ließ. „Schnief!"

Auf der Treppe war es hell und warm. Die Sonne sprenkelte Muster auf die cremefarbene Tapete an den Wänden. Es war ein heiterer Sommertag. Aber Fanny fühlte sich kalt und einsam, als sie hinter ihrem Vater die Treppe hochging. Auf halber Höhe blieb er stehen.

„Du wirst leise mit ihm sprechen müssen", warnte er Fanny.

Fanny nickte.

„Es ist nicht deine Schuld", sagte ihr Vater lächelnd, „aber du hast wirklich eine sehr laute Stimme."

Schweigend stimmte Fanny ihm zu.

„Du darfst ihn nicht stören."

„Liegt Großpapa im Sterben?", flüsterte Fanny.

Ihr Vater blickte sehr ernst drein.

„Ich glaube, ja", sagte er. „Er ist sehr alt und gebrechlich."

„Ich glaube, ich will nicht, dass er stirbt."

„Manchmal ist es am besten so", sagte ihr Vater. „Wenn es an der Zeit ist."

„Woher weiß man", fragte sie, „wann es an der Zeit ist?"

Ihr Vater schaute ziemlich verwirrt und ratlos drein.

„Ist es dann, wenn man sehr alt ist?"

„Ja."

„Fünfzig?"

„Hm."

„Achtzig?"

„Na ja."

„Neunzig? Hundert?"

„Das ist bei verschiedenen Menschen ganz unterschiedlich", sagte er.

„Woher wissen wir dann, wann es für Großpapa an der Zeit ist?"

„Ich weiß es nicht", gab ihr Vater zu. „Ich bin mir wirklich nicht sicher."

„Also könnte er vielleicht doch nicht sterben?", fragte sie.

„Psst! Nicht so laut."

„Tut mir Leid", flüsterte Fanny. „Will er denn sterben?"

„Ich denke, du gehst jetzt besser mal einfach zu ihm", sagte ihr Vater. „Aber sprich nicht vom Sterben. Bitte, ja?"

„Natürlich nicht."

Sie kamen an der Tür an, und Fannys Vater hielt sie ihr auf. Noch nie im Leben hatte Fanny so schreckliche Angst gehabt. Sie presste die Hand ihres Vaters.

„Ist schon gut", flüsterte er. „Ich bin ja bei dir. Komm herein."

Großpapa sah sehr klein aus unter der Bettdecke, kleiner als Fanny. Seine Augen waren geschlossen. Sie war erleichtert. Wenn er schlief, könnten sie ihn einfach ansehen und dann wieder hinausgehen. Sie müsste nicht besorgt sein, vielleicht doch darüber zu reden, ob er gerade im Sterben lag. Sie müsste nicht daran denken, wie das wohl für ihn sein würde, tot zu sein.

„Er schläft", flüsterte sie wirklich ganz, ganz leise. „Komm, wir gehen wieder."

Großpapa schlug die Augen auf.

„Hallo, Fanny", sagte er. „Lass uns allein, Jack. Ich möchte mich ruhig mit Fanny unterhalten."

„Ich warte dann draußen vor der Tür", sagte Fannys Vater und machte die Tür zu. „Denk daran, was ich dir gesagt habe."

Fanny nickte. Sie konnte ein liebes Mädchen sein. Sie würde es ihnen allen zeigen, Onkel George und Tante Nell und dem fiesen Crawly und Tante Clara. Sie würde Großpapa nicht sagen, dass er im Sterben lag.

„Ich liege im Sterben", sagte Großpapa. „Ich will mit dir darüber reden."

2. Kapitel

„Nein, du liegst ja gar nicht im Sterben, Großpapa", sagte Fanny.

„O ja, tu ich doch", antwortete er. „Glaubst du denn, ich weiß das nicht? All diese Verwandten, die da einfach so auftauchen. Warum konnten sie nicht warten, bis ich hinüber und tot bin? Dann könnten sie alle zur Beerdigung kommen, und ich müsste sie erst gar nicht sehen."

Fanny wusste nicht, was sie sagen sollte.

Großpapa grinste.

„Die sind schon eine verrückte Meute, nicht wahr?"

Fanny grinste zurück und nickte.

„Die schniefende Clara", sagte er. „Sie ist da. Warum hört sie nicht auf damit? Als sie in deinem Alter war, wischte sie sich die ganze Zeit die Nase am Ärmel ab. Hast du das gewusst?"

Fanny kicherte. „Nein."

„Nun ja, ich sag's dir. Das hat sie gemacht. Sah immer so aus, als ob eine Schnecke an ihr hochgekrochen wäre, überall silbrige Schleimstreifen."

„Jetzt wischt sie's nicht mehr am Ärmel ab", sagte Fanny.

„Nein. Schnieft aber die ganze Zeit."

„Ja."

„Und der doofe George. Ich bin sonst nie jemandem begegnet, der so dumm ist. Wenn man ‚Guten Morgen' zu ihm sagte, wusste er nicht, was er antworten sollte. Er verdient diese Frau da, mit der er verheiratet ist. Von denen ist der eine so schlimm wie der andere."

Das war so haargenau das, was Fanny dachte, dass sie es nicht wagte, irgendetwas zu sagen.

„Sie erwarten alle etwas in meinem Testament", sagte er. „Weißt du, was ein Testament ist?"

„Nein", gab Fanny zu.

„Ein Testament", sagte Großpapa, „ist, worin du bestimmst, was sie mit deinem Geld machen sollen, wenn du tot bist. Sie sind alle hergekommen, um sicherzustellen, dass ich sie nicht vergessen habe. Na ja, hab ich nicht. Weißt du, was ich tun werde?"

„Nein."

„Ich werde der Schnief-Clara eine Schachtel mit fünfzig Taschentüchern vermachen." Er stieß ein meckerndes Lachen aus. „Was hältst du davon?"

„Sie wird sehr sauer sein", sagte Fanny.

„Gut", lachte Großpapa. „Ich will, dass sie das ist. Ich will, dass sie sauer ist. Und Doof-George. Dem werde ich ein Lexikon vermachen, damit er ein paar Wörter nachschlagen und seine eigenen Sätze beenden kann."

„O je", sagte Fanny. „Er wird auch sauer sein."

Großpapa lachte noch mehr.

„Und was ist mit Crawl – Crawford?", fragte Fanny und verbesserte sich gerade noch rechtzeitig.

„Dieser Junge! Ich kann ihn nicht ausstehen. Bei dem kriecht mir ein Schauer über den Rücken."

Fanny lachte.

„Was ist los?", wollte Großpapa wissen.

„Kriecht", sagte Fanny. „Ich nenne ihn Crawly, den Kriecher."

Sie lachten alle beide. Großpapa streckte seine runzlige braune alte Hand aus und legte sie auf Fannys Hand.

„Oh", keuchte er. „Crawly der Kriecher. Den habe ich vergessen. Ich habe ihm gar nichts vermacht. Sollte ich denn?"

„Ich weiß nicht. Ich weiß überhaupt nichts über Testamente."

„Das kommt schon noch", sagte er geheimnisvoll, und sein Gesicht wurde plötzlich ernst. „Du wirst schon bald genug alles über sie wissen. Und du darfst dir nichts daraus machen, was irgendjemand sagt, wenn du es herausfindest. Verstehst du?"

Fanny verstand nicht, aber sie stimmte ihm zu, und so nickte sie.

Großpapa sank in die Kissen zurück; sein Gesicht war plötzlich weiß und schmerzverzerrt. Sein Atem kam stoßweise.

„Hab mich verausgabt", keuchte er. „Das viele Lachen. Trotzdem, es war es wert, dich einfach mal zu sehen." Er ergriff ihre Hand und hielt sie fest in seiner. „Dich zu sehen muntert mich immer auf."

Fanny spürte, wie ihr wieder die Tränen kamen.

„Ich hab dich lieb, Großpapa", flüsterte sie.

Er lächelte sie an, unfähig, genug Atem zu schöpfen, um zu antworten, aber sie wusste, dass er verstand.

„Willst du sterben?", fragte sie.

Er schüttelte den Kopf.

„Ich will nicht, dass du stirbst", sagte sie. „Mit dir ist es lustig. Ich will, dass du am Leben bleibst."

Großpapa schüttelte wieder den Kopf.

Die Tür ging auf, und Fannys Vater schaute herein.

„Alles in Ordnung?" Er sah, dass Großpapa sich zurücklehnte, und kam schnell herbei.

„Du hast ihn aufgeregt", sagte er. „Du verlässt ihn jetzt besser für eine Weile. Lass ihn sich erholen."

Fanny beugte sich hinunter und gab Großpapa einen Kuss. Wieder drückte er ihre Hand, mit nassen Augen.

Fanny rannte die Treppe hinunter und aus dem Haus. Gilbert, der die ganze Zeit auf sie gewartet hatte, schlüpfte durch die Tür, bevor sie knallend zuschlug.

„Also, das ist doch!", beschwerte sich Onkel George. „Was für eine Art, …"

„… sich zu benehmen", sagte Tante Nell.

„Ach, seid doch still!", fuhr Fannys Mutter sie an.

„Könnt ihr nicht begreifen, dass sie ganz durcheinander ist?"

„Schnief", bemerkte Tante Clara.

Fanny rannte die Straße entlang, so schnell sie konnte, und hielt erst an, als sie Seitenstechen bekam und nicht mehr weiterlaufen konnte.

Gilbert sprang an ihr hoch.

„O je", sagte sie. Ihr Gesicht war tränenüberströmt, und sie schniefte.

Gilbert leckte sie.

„Und ich hab kein Taschentuch dabei. Ich werd noch so schlimm werden wie Schnief-Clara."

Sie atmete keuchend und stoßweise, wie Großpapa vorhin. Aber schon nach ein paar Augenblicken hatte sie sich wieder erholt, und dann konnte sie weitergehen.

Sie hielt direkt auf ein kleines Haus zu, das, weit von der Straße zurückgesetzt, in einem wild verwucherten Garten lag. Es stand versteckt hinter einer riesigen Hecke, die es völlig dem Blick entzog.

Obwohl der Garten wild und unordentlich war, sah er nie struppig oder verwahrlost aus. Es gab Unkraut, aber es hatte nicht wie eine Armee den ganzen Garten überrannt; es gedieh Seite an Seite mit richtigen Blumen und mit Obstbäumen und Sträuchern und Büschen. Es gab ein Kräuterbeet, wo Thymian und Rosmarin und sieben verschiedene Arten Salbei und

Basilikum und Schnittlauch wuchsen und mit Nesseln und Ampfer und Kreuzkraut und Wegerich um genügend Platz rangen, aber sie alle schienen sich in ihrer Gesellschaft wohl zu fühlen.

Das Haus selbst war niedrig und ausladend, mit breiten Fenstern und einer kleinen Tür und mit Dachvorsprüngen, die weit über die Mauer hinausragten und auf der einen Seite so tief hinabreichten, dass Fanny hochlangen und mit den Fingerspitzen die schartigen Ränder der blauen Schieferplatten berühren konnte.

Sie schob den altmodischen Riegel auf und steckte den Kopf zur Tür hinein.

„Mrs May!", rief sie. „Ich bin's, Fanny."

Gilbert machte WUFF, um zu zeigen, dass er auch da war.

„Nur herein. Nur herein", ertönte eine Stimme.

„Möchten Sie, dass ich Ihnen irgendetwas besorgen gehe?", fragte Fanny, als sie in die Küche kam.

Mrs May wohnte in der Küche. Es war ein so wunderliches Haus, dass es nicht seltsam erschien, dass sie das tat. Nicht, dass es zu wenig Platz gab, um irgendwo anders zu wohnen. Fanny konnte nie ganz herausfinden, wie das Haus angeordnet war oder von wo der ganze Platz herkam. Die Zimmer waren alle klein, aber es gab jede Menge davon. Zu viele für das Haus, wie es schien. Fanny hatte einmal versucht, um das Haus herumzugehen, um es von hinten zu sehen

17

und herauszubekommen, wo sich all die Zimmer ein-
fügten, aber der Garten war so wild verwuchert, dass
sie weder von der einen noch von der anderen Seite
um das Haus herumfinden konnte.

Doch die Küche war so ein wunderbarer Raum, dass
sie es Mrs May nicht verdenken konnte, darin zu
wohnen.

Da gab es einen riesengroßen Herd, der die Küche
im Winter warm hielt, und der mit roten Fliesen aus-
gelegte Boden machte sie im Sommer kühl. Die
Decke war niedrig und wurde von einem dicken
schwarzen Balken gestützt.

„Nein, danke, meine Liebe. Heute nicht. Ich habe
alles, was ich brauche."

„Oh", sagte Fanny. „Überhaupt nichts?"

„Nichts. Aber ich wollte gerade eine Tasse Tee trinken und einen Keks dazu essen. Du bleibst da und
isst einen mit, nicht wahr?"

„Dann bereite ich alles vor", sagte Fanny. Und geschäftig hantierte sie mit Wasserkessel und Teekanne
und Keksdose, während Mrs May schweigend dasaß
und ihr zusah.

Fanny fühlte sich dadurch unbehaglich, weil Mrs
May für gewöhnlich sehr redselig war. Deshalb war
Fanny ja auch hierher gekommen, um nicht immer
an Großpapa denken zu müssen, indem sie ihr zu-
hörte.

Als sie schließlich mit einem Glas Milch und einem

Keks dasaß, wünschte Fanny, sie wäre gar nicht gekommen.

Mrs May sah sie immer noch einfach nur an.

„Wirst du's mir erzählen?", fragte sie.

„Ihnen erzählen? Was?", sagte Fanny.

„Was immer es ist, das dich so beunruhigt."

Fanny fuhr mit ihrem großen Zeh eine Fuge zwischen den Fliesen nach.

Mrs May warf Gilbert einen Keks zu. Er fing ihn sehr geschickt in seinem Maul auf, zermalmte ihn dann zwischen den Zähnen und verstreute dabei Krümel auf dem Boden. Fanny und Mrs May schauten ihm zu. Er leckte die Krümel auf, bis der Boden ganz sauber war und die Fliesen dort, wo seine Zunge sie abgeleckt hatte, in einem dunkleren Rot glänzten als die daneben.

„Du musst es mir nicht erzählen", sagte Mrs May. „Ich könnte mir denken, dass es mich nichts angeht. Ich bin bloß eine neugierige alte Frau. Das passiert eben, wenn man alt wird. Man muss sich für andere Leute interessieren, weil es im eigenen Leben nichts gibt, wofür man sich interessieren kann."

„Sie sind nicht alt", sagte Fanny schnell.

„Nicht alt", lachte Mrs May. „Das würde ich schon sagen. Schau mich doch an."

„Alte Leute sterben", sagte Fanny.

„Jeder stirbt", sagte Mrs May ruhig. „Nicht bloß alte Leute."

„Sie sehen gar nicht alt aus. Wie alt sind Sie?", fragte Fanny.

Das war nun wirklich albern, weil Fanny wusste, dass Mrs May alt war. Ihr Gesicht war runzlig, gerade so wie das von Großpapa. Ihre Hände waren alte Hände. Ihr Haar war grau. Aber in ihren Bewegungen war sie rasch, und sie war stark – Fanny hatte gesehen, wie sie Töpfe voll mit kochendem Obst hochgehoben hatte, um Marmelade einzumachen, und Mrs May konnte Teig so heftig kneten, wie Fanny es nie hätte fertig bringen können.

„Oh", sagte Mrs May. „Alt bin ich schon."

„Wie alt?"

„Lass mich mal überlegen. Ich erinnere mich an den Krieg."

„Welchen Krieg?"

„Die verschiedensten Kriege. Da gab's den Ersten Weltkrieg. An den erinnere ich mich. Und an andere. Und an die alte Königin. Ich erinnere mich an sie. Victoria. Und an andere Königinnen und andere Könige. Und ich erinnere mich an die Zeit, als es draußen noch keine Straßenlaternen gab, bloß Gaslampen. Und Pferde und Kutschen. Die gute alte Zeit. Vor all den Autos heute. Oh, ich erinnere mich an die Tage, bevor es die Eisenbahn gab. War das eine Zeit! Die Leute brauchten Tage und Wochen, um irgendwohin zu reisen."

Fanny hatte das schon früher gehört. Sie hörte sehr

gern zu, wenn Mrs May von alten Zeiten erzählte. Wenn Großpapa das tat, hatte sie ihm auch gern zugehört, früher, als er noch gesund war. Aber sie wusste, dass da irgendetwas nicht stimmte. Ihr Vater hatte ihr gesagt, dass niemand sich an die Zeit erinnerte, bevor die Eisenbahn kam. Die Eisenbahn hätte es schon seit über hundert Jahren gegeben.

„Sie können sich gar nicht daran erinnern", sagte Fanny. „Oder Sie müssten fast zweihundert Jahre alt sein. Niemand ist zweihundert Jahre alt."

„Wenn du das sagst, meine Liebe", meinte Mrs May. „Mir ist es ganz egal."

„Wie alt sind Sie dann also?", fragte Fanny.

„Ich bin mir nicht so ganz sicher."

Fanny warf einmal schnell den Kopf zurück, so dass ihre langen blonden Ponyfransen ihr nicht mehr über die Augen fielen und sie Mrs May frei ins Gesicht sehen konnte.

„Jeder weiß, wie alt er ist", wandte sie ein.

„Da kommst du schon wieder damit", sagte Mrs May. „Du und dein ‚Jeder' und ‚Niemand'. Na, ich weiß nicht." Geräuschvoll schlürfte sie ihren Tee.

In der Hoffnung, noch einen Keks zu bekommen, rieb Gilbert sich an Mrs Mays Beinen.

„Schau dir Gilbert an", sagte Mrs May. „Wie alt ist er?"

„Drei", sagte Fanny.

„Das macht einundzwanzig", sagte Mrs May. „Im Leben eines Hundes musst du sieben Jahre zählen für jedes menschliche Lebensjahr. Bestreit es oder sieh es ein."

„Stimmt", gab Fanny zu.

„Also, da hast du's. Du kannst so alt sein, wie du denkst, dass du's wärst. Du meinst, dass du älter bist als Gilbert, aber in Wirklichkeit ist er älter als du. Du meinst, ich sei jünger als dein Großpapa, aber in Wirklichkeit bin ich älter als er. Es hängt davon ab, wie du zählst."

„Das versteh ich nicht."

„Du fragst mich, wie alt ich bin", sagte Mrs May geduldig.

„Ja."

„Also, wir wollen mal vergessen, dass das eine unhöfliche Frage ist."

Fanny, die sehr leicht rot wurde, lief dunkelrot an.

„Nein. Ich meine das im Ernst. Du wolltest nicht unhöflich sein. Nimm noch einen Keks. Also, ich habe nichts dagegen, die Frage zu beantworten. Aber ich will dich nicht belügen oder verwirren."

Fanny konnte sich gar nicht vorstellen, noch verwirrter zu sein, als sie schon war.

„Also, siehst du, in einem gewissen Sinn bin ich alt. Ich bin viel älter als dein Großpapa, wie ich schon sagte. Aber in einem anderen Sinn bin ich nicht so alt, wie ich noch werde. Verstehst du?"

„Nein. Nein, ich verstehe wirklich nicht."

„Wie alt ist alt?", fragte Mrs May lächelnd.

„Sechzig", schlug Fanny vor. „Ich weiß nicht. Acht-zig; das ist wirklich alt. Neunzig."

„Zwanzig?", fragte Mrs May.

Nun ja, zwanzig klang Fanny ziemlich alt, aber sie wusste, dass man mit zwanzig noch nicht alt war. Mit zwanzig war man gerade erwachsen, was ja etwas anderes sein sollte.

„Nein", sagte sie bestimmt. „Zwanzig ist nicht alt."

„Aber der arme alte Gilbert wird tot sein, lange be-vor er zwanzig ist", sagte Mrs May. „Mit zehn wird er alt sein."

„Aber er ist nur ein Hund", protestierte Fanny.

Gilbert winselte. Er legte seinen Kopf schief und blickte Fanny aus einem Augenwinkel heraus an.

„Ganz recht, Gilbert", sagte Mrs May. „*Nur* ein Hund, allerdings. So was hab ich noch nie gehört."

Das Komische bei Mrs May war, dass es Fanny nie etwas ausmachte, was sie sagte. Onkel George und Tante Nell konnten Dinge sagen, die eigentlich ziemlich freundlich waren, aber sie klangen so, als würde man ausgeschimpft. Aber wenn Mrs May etwas sagte, das vielleicht sogar Verärgerung oder Enttäuschung ausdrückte, sagte sie es so, dass Fanny das Gefühl hatte, es sei gar nicht unfreundlich ge-meint. Also lächelte sie Mrs May an.

„Sie wissen schon, was ich meine", sagte sie. Und sie wusste, dass Mrs May es wirklich wusste.

„Genau das ist's", meinte Mrs May. „Alt ist nur alt,

wenn es das auch heißt. Alt ist, wenn es Zeit ist zu gehen."

„Zu sterben?" – „Ja."

„Aber Großpapa ist noch nicht bereit zu sterben."

„Bist du sicher?"

„Ja. Ich habe ihn heute gefragt. Er hat es mir gesagt."
Mrs May spitzte den Mund. „Nun ja."

„Ich wünschte, wir könnten etwas tun."

„Das können wir. Aber ich bin mir nicht sicher, ob das richtig ist."

„Ach bitte", bat Fanny inständig. „Bitte, tun Sie etwas. Können Sie das? Können Sie das wirklich?"
Sie sah Mrs May an, mit großen Augen und leicht geöffnetem Mund, so dass ihre Zunge hervor-schaute. Wie Gilbert wartete sie auf eine Antwort.

3. Kapitel

Mrs May stand auf, und Fanny bemerkte, wie schnell und wie sicher für eine alte Dame sie sich bewegte.

„Es tut mir Leid", sagte sie, „wenn ich unhöflich gewesen bin. Das habe ich nicht gewollt."

„Das ist lieb von dir", sagte Mrs May. „Du bist nicht unhöflich gewesen. Warum hast du es denn gesagt? Du bist bloß beunruhigt wegen deines Großpapas. Nun, dann werden wir in der Sache etwas unternehmen."

Sie öffnete die Tür eines riesigen Schranks, der in die Küchenwand eingebaut war. Da drin standen Fläschchen in endlosen Reihen.

„Holunderbeere, nein. Holunderblüte, nein, aber ich stelle mal eine Flasche davon für später raus. Löwenzahn, Nessel, Karotte, nein, nein, nein. Ich weiß doch, dass es hier ist, irgendwo."

Die Flaschen klirrten. Sonnenlicht fiel auf sie und prallte zurück, violett und rot und blau und gelb und grün.

„Ganz hinten", sagte Mrs May. „So ist das immer, wenn man etwas sucht, nicht wahr?"

Sie ergriff das Fläschchen, das sie gesucht hatte, zog es hervor und trug es zum großen Küchentisch.

„Da", sagte sie.

Es war kaum das, was Fanny überhaupt eine Flasche nennen würde. Das Glas war so dick und rau, dass es mehr wie glasierte Keramik aussah. Und es war dunkelgrün, wie die Kieselsteine in einem Flussbett, wenn Moos und Flechten darin wuchsen. Fanny meinte, das Fläschchen hätte etwas an sich von eben dieser Bewegtheit und Unstetigkeit eines Flusses; die Oberfläche schimmerte und verwirrte ihre Augen. Es war so geformt wie ein kleines Goldfischglas, aber mit einem hohen Hals. Oben war es versiegelt mit rotem Wachs über, wie Fanny vermutete, einem Korken.

„Also", sagte Mrs May sehr entschieden. „Ich sollte das wirklich nicht tun. Mir ist nicht ganz klar, warum ich's überhaupt tue. Vermutlich, weil ich dich gern hab. Und ich mag es nicht, dich so beunruhigt zu sehen. Aber das ist eigentlich kein ausreichender Grund. Egal, ich tu's wahrscheinlich. Sag mir", und dabei blickte sie Fanny ganz fest und starr an, „sag mir, was du für deinen Großpapa willst."

Fanny schluckte. „Ich will nicht, dass er stirbt", sagte sie laut und deutlich. „Jetzt noch nicht."

„Wann?", wollte Mrs May wissen.

„Oh, ich weiß nicht."

„Entschuldige. Ich hätte dich nicht unterbrechen sollen. Sag es mir auf deine Art. Ich will sichergehen."

„Ich will einfach nicht, dass er stirbt. Ich will ihn

noch für länger hier behalten. Mit ihm hat alles immer so viel Spaß gemacht; mit ihm konnte ich immer reden und spielen. Das will ich. Ich will nicht, dass er die ganze Zeit im Bett liegt, so wie jetzt. Ich will, dass er wieder gesund ist."

„Das genügt schon", stimmte Mrs May zu. „Das ist alles, was ich hören wollte. Außer", fügte sie hinzu, „für wie lange willst du ihn hier haben?"

„Für immer, natürlich", sagte Fanny. Ihre Stimme krächzte, und sie fuhr sich mit dem Ärmel über die Augen.

„Na, das weiß ich nicht so recht", sagte Mrs May ruhig. „Nur wenige von uns sind so lange auf Erden. Trotzdem …" Sie klappte ein Messer auf und brach das rote Wachs vom Hals der merkwürdigen Flasche. Dann drehte sie oben einen Korkenzieher hinein und zog den Korken.

„Ah", hauchte sie.

Der niedrige Raum füllte sich mit einem köstlichen Duft. Es war der Geruch von Wiesen, wenn der erste Regen auf sie fällt und ihre Pracht sich entfalten lässt; der Geruch von Gärten am frühen Morgen; der Geruch von Blättern, die auf dem Boden modern, wenn man durch einen tiefen Wald wandert; der Geruch von Heu, das gerade gemäht wird; der Geruch von Kräutern; der Geruch von einem Spaten, der durch den Erdboden schneidet.

Mrs May schob den Korken wieder halb hinein. Der

Duft war nicht mehr so intensiv, schwebte aber weiter im Raum.

„Ein kleines Glas jeden Tag", sagte sie. „Bis es ihm besser geht. Nicht mehr. Und bring mir zurück, was du nicht verbrauchst."

„Das werd ich tun."

„Und auf keinen Fall darfst du selbst auch nur den kleinsten Tropfen trinken."

„Das versprech ich", stimmte Fanny zu. „Ich berichte Ihnen dann, ob es hilft."

„Oh", lächelte Mrs May, „helfen wird's bestimmt. Da musst du erst gar nichts befürchten. Hier."

Fanny nahm die Flasche von ihr entgegen. „Vorsicht, Gilbert", warnte sie, als der Hund um sie herumsprang. „Ich lass sie sonst noch fallen."

„Denk daran", rief Mrs May, als Fanny davonging. „Du hast bekommen, worum du gebeten hast."

„Du kriegst Ärger", schrie Crawly, als er Fanny wieder zum Haus zurückkommen sah. Er schwang sich auf dem Gartentor hin und her, und sein Gewicht ließ es protestierend quietschen. QUIETSCH.

„Was hast du da?", fragte er und zeigte auf die Flasche.

„Nichts." Fanny hielt sie hinter den Rücken.

„Zeig mal."

„Nein."

„Du kriegst Ärger", sagte er noch einmal.

Fanny blickte ihn von oben bis unten an und versuchte währenddessen, sich etwas Gemeines einfallen zu lassen.

„Du bist so fett wie deine Mama", sagte sie.

Crawly fiel die Kinnlade herunter.

„Sag so was nicht", schrie er. „Wir sind nicht fett."

„Nicht fett!" Fanny war erstaunt. Bis zu diesem Augenblick hatte sie nie darüber nachgedacht, aber jetzt, wo sie es gesagt hatte, war es eindeutig das Wahrste, was sie je gehört hatte.

„Natürlich bist du fett. Ihr seid alle fett."

QUIETSCH.

„Sind wir nicht." Crawly blies vor Wut die Backen auf und sah fetter aus als je zuvor.

„Sieh mal", sagte Fanny freundlich, denn sie hatte vergessen, dass es etwas Gemeines gewesen war; jetzt wollte sie Crawly die Wahrheit erklären. „Ihr seid alle fett. Wahrscheinlich ist das gar nicht deine Schuld. Ich will damit sagen, wahrscheinlich hat deine Mama deinen Papa geheiratet, weil er fett war, oder anders herum, natürlich", fügte sie großzügig hinzu, weil sie dem einen Teil nicht gern mehr Schuld geben wollte als dem andern. „Und dann, als sie dich bekamen, musstest du einfach fett sein. Ist doch logisch. So wie zwei schwarze Hunde immer schwarze Welpen kriegen."

„WIR SIND NICHT FETT!", brüllte Crawly.

„Aber bei deinem Papa wabbelt alles", erklärte

Fanny. „Nicht so sehr wie bei deiner Mama, aber doch ziemlich stark."

„Halt den Mund!", sagte Crawly.

Gilbert hüpfte um ihn herum und sprang am Tor hoch und brachte es tüchtig ins Schwingen. Und als sich das Tor hin und her bewegte, schwabbelte alles an Crawly.

QUIETSCH.

„Schau mal!", sagte Fanny hilfsbereit. „Grad jetzt schwabbelt's doch an dir."

„Fanny! Bist du das?", rief ihre Mutter. „Du kommst aber spät."

„Du kriegst Ärger", kreischte Crawly, und dabei schwabbelte alles an ihm, so wütend war er. „Du hast das Essen verpasst. Und du hast Großpapa aufgeregt."

„Hab ich nicht!", sagte Fanny und schob ihr kleines Gesicht dem fetten Gesicht Crawlys entgegen.

„Hast du doch. Das war schon vor 'ner Ewigkeit. Wir haben schon gegessen."

„Das mein ich nicht", sagte sie. „Das ist mir egal. Aber Großpapa. Ich hab ihn niemals aufgeregt. Du bist es, den er nicht leiden kann."

„Komm herein, Liebes", sagte ihre Mutter. „Ich hab ein Sandwich für dich. Das Mittagessen war schon vor Stunden. Deins ist jetzt nicht mehr gut."

Fanny ging durch das Tor und warf es hinter sich so fest zu, wie sie konnte. Crawly flog mit herum, quetschte seinen Finger in der Türspalte ein, fiel herunter, stieß sich den Kopf und brüllte.

„Man sollte ihr nicht diese Sandwiches …", sagte Onkel George.

„… zu essen geben", sagte Tante Nell. „Man sollte sie …"

„… auf ihr Zimmer schicken ohne …", sagte Onkel George.

„… etwas zu essen", sagte Tante Nell.

„Schnief", trug Tante Clara zu der Standpauke bei.

„Ich habe wirklich keinen Hunger", sagte Fanny. „Kann ich hochgehen und Großpapa besuchen?"

„Hat man schon jemals …", sagte Onkel George.

„… so etwas gehört?", fragte Tante Nell.

„Regt Großpapa auf, dass es …"

„… ihn fast umbringt", sagten sie.

„Wie könnt ihr es wagen?", empörte sich Fanny. „Wie könnt ihr es wagen, mir so etwas zu sagen?"

„Das reicht jetzt, Frances", sagte ihre Mutter und gebrauchte ihren richtigen Namen, damit ihr klar würde, dass sie es ernst meinte.

„Der arme alte Mann", sagte Onkel George. „Er braucht …"

„… Ruhe und Frieden", sagte Tanta Nell. „Damit er sterben kann in …"

„Gesund werden", unterbrach sie Onkel George. „Damit er gesund werden kann." Er blickte seine Frau streng an. „Er muss sich ausruhen und braucht

Ruhe und Pflege, damit er gesund werden kann", sagte er und brachte zum allerersten Mal, soweit sich Fanny erinnern konnte, einen ganzen Satz zu Ende. Tante Nell schwabbelten die Backen vor Verlegenheit.

„Ihr wollt, dass er stirbt!", rief Fanny. „Zu dem Zweck seid ihr ja hier. Damit er daran denkt, euch sein Geld zu vermachen, wenn er stirbt. Also, das wird er nicht tun, weil er nicht sterben wird. Ich werde ihn nicht sterben lassen. Weder für Schnief-Clara noch für Doof-George oder sonst irgendjemanden von euch."

„Fanny!", sagte ihre Mutter, die so schockiert war, dass es ihr nicht einmal einfiel, sie bei ihrem Du-kriegst-Ärger-meine Liebe-Namen zu nennen.

„Ach, das ist mir egal", sagte Fanny. „Ich geh jetzt Großpapa besuchen."

Tante Clara war so geschockt, dass sie vergaß zu schniefen, und an ihrer Nasenspitze sammelte sich ein Wassertropfen. Der hing da, zitternd, bis er sie kitzelte, dann zog sie gekränkt einen Ärmel über die Nase und hinterließ auf ihm eine silberne Schleimspur.

„Man sollte sie hinaufschicken in ihr ...", sagte Onkel George.

„... Zimmer und ihr eine ordentliche ...", sagte Tante Nell.

„... Tracht Prügel geben!", sagte Tante Clara scharf

und starrte sie alle an. „Man sollte ihr eine ordentliche Tracht Prügel geben."

„Ach, seid doch alle still", sagte Fannys Mutter. „Sie hat doch Recht, oder? Das ist es doch, was ihr wollt. Zu dem Zweck seid ihr ja hier."

Fanny trat in Großpapas Zimmer, ohne anzuklopfen. Zuerst dachte sie, dass er schon tot sei, so still und weiß war er. Sie schlich zum Bett hinüber. Er atmete ganz leicht. Fanny zog den Korken aus der Flasche, der leise „plop" machte. In dem dunklen Schlafzimmer schien der Duft intensiver denn je zu sein, so als könnte sie die Wiesen und Wälder riechen an dem Tag, an dem die Welt erschaffen wurde.

Großpapa öffnete die Augen, aber er sah sie nicht. Er schaute weit über sie hinaus auf einen Ort, den sie nicht sah. Sie streichelte seine Hand, und mühevoll richtete er seine Augen auf sie.

„Es ist alles in Ordnung mit dir, Großpapa", flüsterte sie. „Ich habe etwas mitgebracht, um dich gesund zu machen."

Er lächelte, schüttelte aber den Kopf.

„Zu spät", flüsterte er.

Fanny goss ein wenig von der Flüssigkeit in ein Glas, das neben dem Bett stand. Die Flüssigkeit war dunkelgrün, aber sie leuchtete mit einem Licht, das aus ihr selbst zu kommen schien. Fanny hob das Glas an seine Lippen und benetzte sie mit dem Elixier.

Großpapa holte tief Atem. Er leckte mit der Zunge am Glasrand. Fanny hielt das Glas schräger. Die Flüssigkeit glitt zwischen seinen Lippen hindurch, und er schluckte sie, zuerst ein bisschen, dann mehr, dann alles. Er sank in die Kopfkissen zurück.

Fanny korkte die Flasche wieder zu und stellte sie in den Schrank neben seinem Bett.

„Geh nicht, Großpapa", sagte sie. „Noch nicht. Ich bin noch nicht bereit, dass du gehst."

Es kam ihr so vor, als atmete er friedlicher, als holte er tiefer, stärker Atem, aber das lag vielleicht nur daran, dass sie wollte, dass er gesund würde, und sie bildete sich das nur ein.

Ihr Vater wartete schon auf sie, als sie auf den Flur trat. „Ab in dein Zimmer, so Leid es mir tut", sagte er.

„Na gut", stimmte Fanny zu. „Aber ich werde mich nicht bei ihnen entschuldigen."

„Du wirst nicht herunterkommen, bevor du's nicht tust", sagte er ruhig.

„Wirklich?" Fannys Augen wurden ganz groß vor Verwunderung. „Muss ich mich wirklich entschuldigen? Ich hab doch bloß die Wahrheit gesagt."

„So ist's nun mal", erklärte er.

„Dann tu ich's gleich", bot Fanny an. „Aber danach gehe ich in mein Zimmer. Ich will sie heute nicht wieder sehen."

„Das kommt mir vernünftig vor", stimmte ihr Vater zu.

„Was ist mit Crawly? Muss ich mich auch bei dem entschuldigen?"

„Wahrscheinlich nicht", sagte er. „Ich denke, Crawfy können wir vergessen."

Die Tanten und der Onkel hörten sich Fannys Entschuldigung schweigend an, was, wie Fanny meinte, unhöflich war. Sie wusste nicht, dass ihre Mutter gedroht hatte, sie alle aus dem Haus zu werfen, falls sie noch irgendetwas sagten, was Fanny unglücklich machen könnte.

Später brachte ihr Vater ihr etwas Rührei aufs Zimmer, und dann saß er bei ihr, und sie spielten Karten.

„Du kannst hinuntergehen", bot sie an. „Es macht mir nichts aus, hier oben allein zu sein."

„Nein", entschied er. „Ich denke, ich bleibe, wenn du nichts dagegen hast."

Die Stimmen von Onkel George und Tante Nell, die sich gegenseitig unterbrachen, drangen die Treppe empor, zusammen mit Tante Claras „Schnief", das von Zeit zu Zeit zur Unterhaltung beitrug. Fanny blickte ihren Vater an und nickte.

„Du gibst", sagte sie.

Später schlief sie schlecht und träumte, sie könnte Geräusche hören von jemandem, der in Großpapas Zimmer umherging, und sie träumte, dass der wunderbare Duft aus der grünen Flasche ihr eigenes Zimmer, sogar das ganze Haus erfüllte. Sie hörte eine Eule rufen und eine Katze miauen; ein Hund bellte, und etwas Winziges huschte an ihr vorbei hinter die Fußleiste; der Baum draußen vor ihrem Zimmerfenster strich mit seinen Zweigen über die Scheibe. Sie war wach, als die ersten fahlen Lichtstreifen über den Himmel zogen und die Vögel zu zwitschern begannen, aber dann fiel sie in einen tiefen Schlaf, und das laute Klopfen an ihrer Tür, über eine Stunde später, machte sie ganz wirr und schreckte sie auf.

„Frühstück", rief eine Stimme. „Raus aus den Federn. Lass nicht das Gras unter deinen Füßen wachsen."

Fanny fuhr erschrocken hoch. Die Tür flog auf.

„Muss ich dich erst aus dem Bett ziehen?" Er streckte seinen Kopf zur Tür herein. „Oder stehst du von allein auf?"

Fanny kreischte. „Großpapa!"

4. Kapitel

„Hab mich nie besser gefühlt", sagte Großpapa und tanzte in Fannys Zimmer hinein.

Fanny sprang aus dem Bett und warf sich ihm entgegen. „Großpapa", rief sie noch einmal, unfähig zu denken, was sie sonst sagen könnte.

„Hör sofort mit dem Lärm auf!", forderte die wütende Stimme ihres Vaters. „Weißt du nicht, dass Großpapa sehr krank ist?"

Großpapa sprang schnell hinter die Tür. Fannys Vater schob sie weit auf und stand im Türrahmen.

„Sieh mal, Fanny", sagte er streng. „Ich will wirklich nicht einen neuen Tag damit beginnen, böse mit dir zu sein. Nicht nach dem, was gestern passiert ist. Aber du musst dich wirklich daran erinnern, wie laut deine Stimme ist, und dass dein Großvater …"

„Buuh!", rief Großpapa und sprang hinter der Tür hervor.

In seinem zerknitterten Nachthemd und mit seinem grauen Haar, das ihm vom Kopf abstand wie ein ungemähter Rasen, sah Großpapa wahrlich sonderbar aus, aber es war sein plötzliches Auftauchen und nicht sein absonderliches Aussehen, das Fannys Vater einen Schock versetzte und ihn mit einem unterdrückten Schrei in die Luft springen ließ.

„Aaahhh!", schrie er auf.

„Hihi", lachte Großpapa, „Das hat dir einen Schrecken eingejagt, nicht? Was? Hihi!"

Fannys Vater starrte ihn mit offenem Mund an und versuchte, etwas zu sagen. „Grrr", gurgelte er.

„Dir auch grrr", knurrte Großpapa zurück.

Gilbert schob seine nasse schwarze Nase zur Tür hinein. GRRRR, stimmte er mit ein.

Fanny lachte.

„Großpapa", stieß Fannys Vater hervor. „Du solltest im Bett liegen."

„Im Bett! Im Bett!", rief der. „Es ist morgens. Man liegt am Morgen nicht im Bett."

Angezogen von all dem Lärm, tauchten neben Gilbert noch andere Gesichter im Türrahmen auf.

„Psst", sagte Onkel George, „ihr weckt sonst noch …"

„… Großpapa auf", sagte Tante Nell.

„Buuuh!", machte Großpapa wieder, und er lachte sogar noch lauter, als er ihre überraschten Gesichter sah. „Oje, oje", keuchte er. „Ich merke schon, heute wird ein guter Tag."

„Was geht hier vor?", fragte Tante Clara. „Ich dachte, ich hätte Großpapas Stimme gehört."

„Hast du auch", sagte Großpapa, „und du wirst sie noch viel öfter hören. Für eine lange Zeit."

Tante Clara schniefte missbilligend. „Aber ich dachte, du …", begann sie.

„Das heißt …", sagte Onkel George.

„Was wir sagen wollten …“, sagte Tante Nell.

„Ihr habt gedacht, ich sei tot!“, sagte Großpapa. „Oder schon so gut wie tot. Läge jedenfalls im Sterben. Na ja, tu ich nicht. Hab's auch nicht vor. Nicht in den nächsten Jahren.“

„Wonach riecht das so komisch?“, fragte Crawly, der noch halb im Schlaf war und Großpapa gar nicht gesehen hatte. „Als würde jemand einen Rasen mähen.“

„Morgen, Crawly“, rief Großpapa aus.

„Crawfy“, fauchte Tante Nell. „Er heißt …“

„Crawly!“, sagte Großpapa. „Ha! Hab dich diesmal erwischt, nicht? Ich hab den Satz zuerst beendet. Crawly der Kriecher. Genau der ist er. Komm jetzt, Fanny. Frühstück. Ich hab das Gefühl, als hätte ich jahrelang nichts gegessen. Sehn wir mal zu, dass wir Eier mit Speck und Tomaten kriegen.“

Fanny rannte aus ihrem Zimmer und hinter ihm her.

„Und Blutwurst“, sagte er. „Ich liebe ein Stück Blutwurst zum Frühstück.“

Onkel George schaute Tante Nell an. Tante Nell schaute Tante Clara an. Tante Clara schaute die offene Tür an. Und Fannys Vater schaute sie alle zusammen an.

„Und Bücklinge. Ich muss Bücklinge kriegen. Und Toast. Jede Menge Toast.“

Von Fannys Mutter hörte man einen kleinen überraschten Aufschrei, als sich die Küchentür öffnete.

Dann einen Freudenschrei, und danach war die Stille zu hören, die darauf folgt, wenn zwei Leute sich in die Arme nehmen.

Tante Clara schniefte laut und vernehmlich und ging ins Bad. Onkel George und Tante Nell steckten die Köpfe zusammen und kehrten murmelnd in ihr Zimmer zurück. Keiner von ihnen sah besonders glücklich aus.

Außer Fannys Vater, der auf Fannys Bett saß und lächelte und sich nachdenklich mit dem Finger an der Wange kratzte.

Am Ende musste Großpapa sich mit Müsli, einem gekochten Ei und Toast begnügen, weil Fannys Mutter weder Bücklinge noch Speck oder Blutwurst und auch keine Tomaten dahatte.

„Würstchen", schlug Großpapa vor. „Du musst doch Würstchen dahaben."

Sie schüttelte den Kopf. „Die bekommen dir nicht", sagte sie.

„Hihi", lachte Großpapa. „Das ist mir egal. Schau mich an. Mir geht's gut. Ich werd noch ewig leben."

Und wirklich, Fannys Mutter schaute Großpapa an und stimmte ihm zu, dass er besser aussah als seit Jahren, sogar noch, bevor er krank wurde.

„Sieh mal", sagte er. Und er schob seinen Stuhl zurück und sprang auf die Beine und fing an, auf und ab zu hüpfen.

„Ja", stimmte Fannys Mutter zu.

Gilbert bellte und versuchte, immer wenn Großpapa auf dem Fußboden landete, ihn bei den Hacken zu schnappen, aber Großpapa war zu schnell für Gilbert und sprang ihm immer wieder davon. Gilbert knurrte spielerisch, und er bellte und schnappte mit dem Maul, aber Großpapa war ihm immer einen Sprung voraus. Fanny lachte, bis ihr der Bauch wehtat.

„'ne Tasse Tee?", bot Fannys Mutter an.

„Nein. Nein, danke", sagte er. „Ich hab etwas zu trinken in meinem Zimmer. Davon werde ich einen kleinen Schluck nehmen, während ich mich anziehe."

„Nein", sagte Fanny. „Das darfst du nicht. Das muss ich Mrs May zurückbringen."

„Zurückbringen?", sagte Großpapa. „Unsinn. Da ist noch jede Menge übrig. Du kannst die Flasche zurückbringen, wenn sie leer ist. Um mehr zu kriegen." Er durchquerte die Küche und öffnete die Tür.

„Nein", beharrte Fanny. „Ich muss sie zurückbringen. Das habe ich versprochen. Du darfst daraus nichts mehr trinken."

„Sei in zehn Minuten fertig", befahl ihr Großpapa, als er die Treppe hochstieg. „Wir gehn raus und kriegen mal ein bisschen Spaß."

In den Fenstern tauchten Köpfe auf, gaffte man mit offenem Mund, als Großpapa und Fanny sich auf ihren Spaziergang machten.

„Zieh deinen Kopf rein, Clara", rief Großpapa aus und drohte ihr mit dem Stock. „Du zeigst den Nachbarn deine Lockenwickler."

SCHNIEF. RUMMS. Tante Claras Kopf verschwand.

„Tschüss, Crawly", rief Großpapa. „Erkälte dich nicht." Crawlys Kopf zog sich schnell zurück.

„Macht eure Münder fest zu", riet Großpapa Onkel George und Tante Nell. „Sonst fangt ihr noch Fliegen."

„Also das ...", sagte Onkel George.

„... hab ich noch nie gemacht", beendete Tante Nell den Satz. Und mit einem Knall flog bei ihnen sogar das Fenster zu.

„Hurra", rief er. „Schon sind wir unterwegs."

„Wiedersehen, Großpapa", rief Fannys Vater und winkte.

„Willst du mit uns kommen?", lud Großpapa ihn ein.

„Glaube nicht. Bleibe besser hier. Erledige ein paar Sachen." – „Wie du willst. Tschau."

Fanny musste fast rennen, um mit ihm Schritt zu halten. „Wo gehen wir hin?", fragte sie ein bisschen atemlos.

„Raus", sagte Großpapa. „Umher. In der Stadt herum. Irgendwohin. Nirgendwohin. Ist mir egal."

Er hob seinen Spazierstock, führte ihn an die eisernen Gitterstäbe des Parkzauns und zog den Stock mit, während er außen am Park entlanglief.

PLINK. PLINK. PLINK. PLINK. PLINK. PLINK.

PLINK. PLINK. PLINK. PLINK. PLINK. PLINK.
Gilbert jaulte vor Freude und sprang immer wieder hoch und versuchte, mit dem Maul Großpapas Stock zu erwischen.

„Platz, mein Lieber. Platz", brüllte Großpapa.

OU, WUFF, JOU, antwortete ihm Gilbert, und beide hatten riesigen Spaß miteinander.

„Oje, oje", keuchte Großpapa und konnte sich vor Lachen kaum mehr halten, als Fanny herangetrabt kam.

„Du bist zu schnell für mich", beschwerte sie sich.

„Oje", stieß er hervor. „Muss erst mal wieder zu Atem kommen. Oje. Bin seit Jahren nicht mehr so gerannt."
Und das stimmte. Fanny hatte Großpapa noch niemals rennen sehen. Nie.

„Muss mal 'nen kleinen Schluck nehmen", sagte er. Er holte die grüne Flasche aus der Tasche.

„Du darfst nicht", warnte ihn Fanny. „Bitte. Gib sie mir zurück. Mrs May hat gesagt …"

„Pah", sagte Großpapa. „Diese Mrs May will bloß alles für sich haben, wer auch immer sie ist." Er legte seinen Finger an die Nase und zwinkerte Gilbert zu. „Nicht wahr? Was? Sie weiß, was gut tut."

Er zog den Korken heraus, machte einen tiefen Zug, wischte sich mit dem Ärmel über den Mund, als er fertig war, korkte die Flasche dann schnell wieder zu und ließ sie in seine Jackentasche zurückgleiten. Diese wenigen Augenblicke lang spürte Fanny, wie ihr schwindelte, als der schwere süße Duft aus dem schlanken Hals der dunklen Flasche strömte. Dann war er verflogen.

„Los geht's!", rief Großpapa. Er fuchtelte mit seinem Stock herum.

„Ach, bitte", sagte Fanny. „Nicht so schnell. Ich kann nicht Schritt halten."

„Ich weiß", sagte Großpapa. „Der Wagen. Wir machen eine Fahrt."

„Das können wir nicht", sagte Fanny. „Du kannst nicht fahren."

„Nicht fahren! Ich, und nicht fahren können!" Großpapa ging in die Luft. „Was für ein Unsinn. Komm mit, und du wirst schon sehen. Mein Wort drauf. Der Trank da tut mir ziemlich gut. Ich bin jetzt wirklich wieder zu Atem gekommen. Los geht's."

„Aber wohin?", fragte Fanny.

„Zu Bill Bowen", sagte Großpapa. „Um das Auto zu holen."

5. Kapitel

Fanny hatte Großpapa noch nie Auto fahren sehen. Sie vermutete, er wäre zu alt, um es je gelernt zu haben. Noch nie, da war sie sich ganz sicher, hatte sie gehört, dass er vielleicht eins besitzen könnte.

„Natürlich hab ich eins", sagte er. „Ich habe bloß lange Zeit keine Lust gehabt zu fahren. Bill Bowen hält es für mich in Obhut. Wenn's um Autos geht, ist er einfach großartig, der Bill, liegt immer unter einem Wagen drunter mit ölverschmiertem Gesicht und den Händen in der Maschine."

Sie bogen in eine Seitenstraße, gingen dann eine kleine Gasse entlang und durch einen engen Tunnel zwischen zwei Häusern hindurch und befanden sich schließlich in einem Hof mit großen schwarzen Toren und einer kleinen schwarzen Tür. Ein verbeultes Schild, von dem die Farbe abblätterte, verkündete:

BOWEN'S AUTOMOBILE

Auf der anderen Seite des Hofes gab es eine breitere Ausfahrt, aber es gab keinerlei Anzeichen von Aktivität oder Geschäftigkeit, und es gab keine Autos, keine Kunden.

„Muss wohl sein freier Tag sein", sagte Großpapa. „Klopfen wir mal."

Mit großen Schritten ging er auf die kleine schwarze Tür zu und klopfte daran mit seinem Stock.

Gilbert bellte ungeduldig.

„Es ist niemand da", sagte Fanny.

Großpapa klopfte noch einmal, nun so kräftig, dass er dabei fast die Tür durchbrach.

„Schon gut. Schon gut", ertönte eine zittrige Stimme. „Ich kann euch hören. Immer mit der Ruhe. Bin eben nicht so schnell heutzutage." Während dieser klagenden Worte hörte man Schlüssel und Ketten rasseln. „Haltet ein. Ich kann euch hören." KLIRR. „Nun mach schon, Bill Bowen. Wir haben nicht den ganzen Tag Zeit."

Schließlich schob die Tür sich auf, und ein kleines runzliges Gesicht lugte durch den Spalt. „Wer ist da?"

„Jack", sagte Großpapa.

Vor lauter angestrengtem Nachdenken bekam Bill Owens Gesicht noch mehr Falten.

„Jack Blake", sagte Großpapa ungeduldig. „Mach auf."

Die Tür schloss sich, und eine Kette wurde gelöst. Als sich die Tür wieder öffnete, diesmal ganz, kam ein winziger alter Mann zum Vorschein. Er war vornüber gebeugt, so dass seine Schultern so aussahen, als wollten sie sich gegenseitig vor seiner Brust berühren. Nur dass er gar keine Brust mehr zu haben schien; sie war ganz eingefallen. Seine Bekleidung war wohl für jemand anders gemacht worden, jemand, der größer war, und sie hing schlotternd an ihm herunter außer dort, wo ein breiter Gürtel sie um die Taille herum zusammenraffte.

„Ich dachte, der wäre tot", sagte Bill.

Großpapa lachte vor sich hin. „Du siehst so aus, als solltest du tot sein", sagte er. „Wo ist Mabel?"

„In der Werkstatt", sagte Bill.

„Also, dann holen wir sie raus."

„Woher weiß ich, dass du auch der bist, der du zu sein behauptest?", fragte Bill vorsichtig.

„Schau mich an", forderte Großpapa ihn auf. „Ich hab mich nicht verändert, oder?"

Bill musterte ihn von Kopf bis Fuß. „Das ist's ja gerade", sagte er. „Hast du nicht. Muss wohl", und er kratzte sich am Kopf, „zehn Jahre her sein …"

„Fünfzehn", unterbrach ihn Großpapa. „Fünfzehn Jahre, seit ich dich das letzte Mal gesehen habe."

„Und du hast dich nicht verändert", sagte Bill. „Also kannst du nicht Jack Blake sein."

„Ah", sagte Großpapa schlau und rieb sich mit dem Finger die Nase. „Wenn ich mich aber nicht verändert habe, kann ich auch nicht jemand anders sein, oder?"

Bill verzog das Gesicht in höchster Konzentration, während er darüber nachdachte, aber schließlich gab er es auf, zuckte mit den Schultern und sagte: „Also, dann mach ich dir auf."

„Wer ist Mabel?", flüsterte Fanny.

„Wart's nur ab, du wirst schon sehn", sagte Groß-papa, während Bill an einem riesigen Schlüsselbund herumfummelte.

Die großen schwarzen Tore zur Werkstatt hingen steif in den Angeln und waren schwer, und nur allen dreien zusammen gelang es, während Gilbert an ihren Fersen kläffte, sie aufzuziehen. Die hellen Strahlen der Morgensonne drangen ein in eine weit-räumige offene Werkstatt, in der sich in einer Ecke etwas unter einer Plane wölbte; sonst stand die Werk-statt leer. Alle Werkbänke und Regale waren staub-bedeckt. Als die Tore aufschwangen, wirbelte der Luftzug Staubwolken auf. Motten kreisten wie ein Mückenschwarm im hellen Sonnenlicht.

„Da ist sie", sagte Bill.

Großpapa sprang hin und zerrte die Plane weg.

„Oh", stieß Fanny überrascht aus, „sie ist wunder-schön."

Bill blickte verlegen drein.

„Ich habe sie sauber und in Ordnung gehalten", sagte er. „Wann immer ich konnte. Es gefiel mir nicht, sie allmählich zerfallen zu sehen."

Großpapas Augen waren feucht von Tränen. Er trat dicht an Bill heran und legte seinen Arm um ihn. Bill sah erschrocken aus über die Kraft und den festen Griff seines alten Freundes.

„Du hast gut für sie gesorgt, Bill", sagte Großpapa. „Ich bin dir sehr dankbar."

„Es gab ja sonst nichts zu tun", murmelte Bill.

„So etwas wie sie hab ich noch nie gesehen", sagte Fanny. „Außer in Museen. Kann sie wirklich fahren?"

„O ja", sagte Bill. „Ich polier sie ja nicht nur. Ich lasse den Motor jede Woche laufen, halte ihn geschmiert und geölt. Ich prüfe die Reifen. Hin und wieder fahre ich Mabel einmal um den Hof herum. Jedoch nicht hinaus auf die Straße. Das könnte ich nicht. Ich bin zu alt. Aber sie fährt bestimmt ganz ordentlich. Wohin ihr wollt."

„Gute alte Mabel", sagte Großpapa.

Fanny strich mit den Fingerspitzen über den Lack des Autos. Die Karosserie war dunkelrot, und die Kotflügel waren satt cremefarben. Das Chrom der Stoßstangen und der Scheinwerfer glänzte wie Silber. Innen schimmerte das Armaturenbrett aus Mahagoni in warmem Ton, und die Sitze waren aus Leder. Mabel roch mehr nach einer Bibliothek voller alter, in Schweinsleder gebundener Bücher als nach einem Auto.

„Gute alte Mabel", sagte Großpapa. Er sprang auf den Fahrersitz und drückte kräftig den Gummiball der Hupe.

TÖÖT!

JAUL!, setzte Gilbert hinzu.

„Springt rein", befahl Großpapa.

Fanny stieg auf eins der breiten, schwarzen Trittbretter, die sich an den Seiten des Autos entlangschwangen. Sie drehte an dem schimmernden Griff, zog schwungvoll die Tür auf und ließ sich in dem köstlich duftenden weichen Leder auf dem Beifahrersitz nieder. Gilbert sprang an ihr vorbei nach hinten und saß erwartungsvoll da; sein Schwanz klopfte gegen den Rücksitz, das Maul stand ihm in hündischem Grinsen weit offen, und links hing ihm die Zunge aus seinem breiten, feuchten Maul heraus.

TÖÖT! TÖÖT!

„Kommst du mit?", rief Großpapa Bill zu.

Bill schüttelte den Kopf.

„Dafür bin ich zu alt", sagte er. „Könnte die Aufregung nicht verkraften."

„Brrrr!", lachte Großpapa. „Du bist so alt, wie du dich fühlst."

„Wie alt fühlst du dich denn, Jack?"

„Oh, ungefähr wie vierzig", sagte Großpapa.

Fanny wunderte sich darüber, dass er sich immer noch so alt fühlen sollte. Er benahm sich die ganze Zeit wie ein Junge.

„Wenn überhaupt so alt", fügte er hinzu.

GRRRAAAGGH, röhrte der Motor auf, als Großpapa den Selbstanlasser zog.

Mabel ruckelte und stotterte, dann hörte man ein PRAAAP, als würde ein Feuerwerkskörper loszischen, und schließlich lief der Motor in gleichmäßigem Rhythmus, wenn auch immer noch sehr laut.

„Wunderbar!", übertönte Großpapa den Lärm, der

in dem leeren Raum widerhallte. „Heute baut man sie nicht mehr so. Du kannst hören, welche Kraft dahinter steckt. Du kannst sie spüren."

Fanny konnte ganz genau hören und spüren, dass eine Furcht erregende Kraft unter Mabels Motorhaube hervorkam und sie alle ganz schön durchrüttelte wie auf einer Jahrmarktsfahrt. Es war, als säße sie zum ersten Mal in einem Auto, als verstünde sie zum ersten Mal, dass die ganze Kraft, die ein Auto schnell fahren ließ, von etwas Gefährlichem und Lebendigem stammen musste.

„Auf geht's!", rief Großpapa.

Er schob den Schalthebel in den Gang, hob seinen Fuß von der Kupplung, packte das Steuerrad, und schon fuhren sie los.

Mabel schoss nach vorn, stoppte plötzlich, mühte sich weiterzufahren und brüllte wütend auf.

„Handbremse", sagte Bill. „Mach die Handbremse los."

„Hoppla", sagte Großpapa. „Gewöhn mich schon bald wieder an sie."

Er löste die Bremse, drückte mit dem Fuß aufs Gaspedal, diesmal vorsichtiger, und sie fuhren wieder.

„Wiedersehn!", rief er. „Wiedersehn, Wiedersehn!"

Fanny winkte. Gilbert wedelte mit dem Schwanz und bellte. Großpapa drückte wieder auf die Hupe. TÖÖT!

Bill hob müde seinen Arm und salutierte.

„Pass gut auf sie auf", rief er Großpapa nach. „Pass gut auf."

„Na klaaar", versprach Großpapa, während sie aus der Werkstatt fuhren und der Wind seine Stimme verwehte. „Naaaa klaaaaa …"

Und weg waren sie.

Bill Bowen schaute auf die Stelle, an der Mabel gestanden hatte. Langsam hob er die Plane auf und faltete sie zusammen.

„Vorsichtig", warnte Fanny mit ziemlich ängstlicher Stimme. „Du bringst uns noch um."

„Vollkommen sicher", sagte Großpapa, riss den Wagen um eine Kurve und schoss mit kreischenden Reifen aus dem Hof.

BOWENS AUTOMOBILE verschwand, und sie waren unterwegs.

Die Straße war eng. Ein roter Lieferwagen kam ihnen entgegen.

„Fahr langsamer", bat Fanny.

TÖÖT!

„Fahr mir aus dem Weg!"

Das Gesicht des Lieferwagenfahrers verzog sich krampfhaft vor Angst.

„Du bist auf der falschen Straßenseite", rief Fanny.

„Auf der falschen Seite", stimmte Großpapa ihr zu und drohte dem Lieferwagenfahrer mit der Faust. „Auf der falschen Seite."

„Nicht er! Du!", sagte sie.

Mabel sauste weiter, direkt auf den roten Lieferwagen zu.

TÖÖT!

„Auf der falschen Seite", sagte Fanny verzweifelt.

Die beiden Fahrzeuge blickten einander in die Augen, stürmten aufeinander zu, und dann, im letzten Moment, riss der Lieferwagenfahrer seinen Wagen herum, quer über die Straße auf den Bürgersteig hinauf, umkurvte Mabel und trat mit aller Kraft auf die Bremse. Großpapa ließ Mabel noch einmal spurten. Sie schoss voran, fand ihre eigene Straßenseite, fegte noch einmal um eine Kurve und war weg.

„Braves Mädchen, Mabel", rief Großpapa aus. „Du hast's ihm aber gezeigt."

TÖÖT!

Der Lieferwagenfahrer zog ein riesiges Tuch aus seiner Tasche, so rot wie sein Lieferwagen, und wischte sich damit den Schweiß von einem Gesicht, das selbst so rot war wie das Tuch.

„Puh", sagte er. „Das war knapp."

„Jippiii!", brüllte Großpapa. „Uns hält niemand auf!"

WUFF.

„Bitte, fahr langsamer", bat Fanny. „Sonst haben wir noch einen Unfall."

Widerwillig nahm Großpapa den Fuß vom Gaspedal und ließ Mabel langsamer fahren.

Sie bogen noch einmal ab, aus den Seitenstraßen heraus, wo sich die Werkstatt von BOWENS AUTOMOBILE befand, und erreichten die Hauptstraße, die zur Stadt hinausführte.

Selbst wenn Großpapa vorsichtig fuhr, so wie jetzt, drehten sich die Köpfe auf der Straße, um sie zu sehen.

Die Leute winkten, als sie vorüberfuhren. Mabel kündigte den Leuten an, dass sie kam, noch lange bevor sie sie sehen konnten, so dass sie vorbereitet waren, wenn sie schließlich in Sicht war. Sie jubelten, wenn sie schwarze Rauchwolken aus dem Auspuff stieß und PRAAAP machte. Sie lachten, wenn sie an der Ampel anhielt und bebte und ruckelte, während sie darauf wartete, dass wieder Grün wurde. Sie winkten fröhlich, wenn sie ratterte und an ihnen vorbeidonnerte. Und Großpapa winkte zurück und lächelte und nickte.

Fanny war zuerst ganz verlegen, aber schon bald gewöhnte sie sich daran und fand es ganz schön, wie alle freundlich zu Mabel sein wollten.

„Wohin?", fragte Großpapa.

„Ach, das ist mir egal", sagte Fanny. „Irgendwohin."

„Der alte Bill hat sie wirklich gut in Schuss gehalten", sagte Großpapa bewundernd. „Sie könnte überallhin fahren. Aber wo wollt ihr hin?"

WUFF, machte Gilbert und grinste aus dem Fenster hinaus ein Schild an.

ZUM MEER

„Recht so", sagte Großpapa. „Einem Hund sollte man immer vertrauen. Ans Meer."

„Das ist weit", sagte Fanny. „Wir werden schrecklich spät nach Hause kommen."

„Unsinn", sagte Großpapa. „Du bist bei mir. Du bist vollkommen in Sicherheit. Ein Tag draußen am Meer mit deinem Großpapa. Nichts könnte schöner sein."

Und so streckte sich denn die Straße vor ihnen aus, als sie zur Stadt hinausfuhren. Sie wurden in die Arme genommen von Wiesen und Feldern. Hügel hoben sie empor und ließen sie sanft herab. Fanny saß vorne und spürte, wie ihr der Wind das Haar aus dem Gesicht blies, und sie sah Großpapa von der Seite an und bemerkte sein glückliches Lächeln und seine glänzenden Augen und dankte im Stillen Mrs May für die wunderbare Medizin, die ihn ihr zurückgegeben und ihr wieder so viel Spaß und Freude mit ihm gebracht hatte, nachdem er so krank gewesen war.

Und die Straße schlängelte und wand sich dahin, bis sie höher und höher kletterten, die mächtigen Berge empor, und einen höchsten Punkt erreichten, von dem aus plötzlich alles hinabführte, hinein in die blaue Leere von Himmel und Meer.

„Oh", flüsterte Fanny und seufzte vor Vergnügen. „Wir sind da."

„Noch den Berg hinunter, und dann haben wir's ge-
schafft", sagte Großpapa. „Hurra!"
WUFF. Gilbert beugte sich vor und leckte Fanny den
Nacken.

6. Kapitel

Mabel fauchte und kam seufzend und zitternd zum Stehen, als Großpapa sie an den Straßenrand steuerte und den Motor abstellte. „Uff", sagte er.

UUUFFF, echote Mabel.

Fanny konnte sich vor Entzücken kaum fassen und blickte sich um.

Sie sah eine kleine Bucht, die versteckt zwischen hohen roten Kliffen lag. Von dort, wo sie saß, war alles links und rechts der Bucht außer Sicht. Es war ihr, als wäre sie in einer hellen, von der Sonne erleuchteten Höhle versteckt, geschützt vor der übrigen Welt.

„Sieh mal!" Sie zeigte aufs Meer. „Sieh mal, wie die Sonnenstrahlen von den Wellen zurückspringen."

Und so war's auch. Winzige silbrige Lichtpunkte brachen sich an den Wellenkämmen und glitzerten auf ihnen.

„Uff", wiederholte Großpapa.

WUFF.

„Still, Gilbert", sagte Fanny. „Was ist los, Großpapa?" Sie schaute ihn genauer an. Er schien mehr Haare zu haben als gestern. Und sie waren dunkler, brauner, weniger grau. Und seine Wangen waren voller, jünger. Aber seine Hände zitterten, und er rang nach Atem.

„Bitte", sagte sie. „Bitte. Ist alles in Ordnung mit dir?"
Großpapa fühlte in seiner Jackentasche nach und
zog Mrs Mays Flasche heraus. „In einer Sekunde",
keuchte er. „So gerade noch. So gerade noch." Er
hatte Schwierigkeiten, Luft zu holen.
Fanny bekam Angst. Wenn nun etwas Schlimmes
passieren würde? Wenn er sterben würde, hier, bloß
mit ihr und Gilbert?
„Nur einen kleinen Schluck", sagte er.
Aber seine Hände zitterten zu stark, um die Flasche
zu öffnen. „Bitte", sagte er und wandte sich Fanny zu.
Fanny zog den Korken heraus. Jedes Mal, wenn die
Flasche geöffnet wurde, schien der Duft nach Wäldern und Wiesen stärker zu sein. Für einen Moment
verschwanden das Meer und der Sand und der blaue
Himmel, und es kam Fanny so vor, als sähe sie sich
in einem dichten Wald, mit Zweigen, die sich über
ihrem Kopf wölbten, mit breiten Baumstämmen um
sie herum und in grünlichem Sonnenlicht, weil es
durch das flache Blätterdach hindurchschimmerte.
Dann blinkte sie mit den Augen und sah, wie Großpapa seine Hand nach der Flasche ausstreckte.
Er tat einen tiefen Zug, wobei er ein paar Tropfen ver-
schüttete, die ihm am Kinn herabliefen, und seufzte
dann schwer.
„Das ist schon besser", sagte er. „Bloß ein bisschen
atemlos. Lange Fahrt. Bin in letzter Zeit nicht viel
draußen gewesen. Nicht daran gewöhnt."

Er korkte die Flasche zu und steckte sie wieder weg. Fanny bemerkte, dass von der Medizin immer noch eine Menge übrig war. „Ich denke wirklich, wir sollten sie zurückbringen", sagte sie.

„Unsinn", protestierte Großpapa. „Un-Sinn. Tut mir gut."

Und das tat es. Er sprang aus dem Auto, schlug heftig die Tür zu und schritt um den Wagen herum, um Fanny und Gilbert auf der anderen Seite aussteigen zu lassen.

„Gute alte Mabel", sagte er und tätschelte ihre Motorhaube. Mit den Scheinwerfern im Sonnenschein blinkte Mabel zurück. „Also dann. Schaun wir uns mal um. Wohin sollen wir zuerst gehen?"

„Hinunter zum Strand", sagte Fanny, die es kaum erwarten konnte.

„Mmmmm", machte er nachdenklich. „Na gut. Aber dann musst du schwimmen. Hast du deinen Badeanzug mit?"

Aber natürlich hatte Fanny ihren Badeanzug nicht dabei. „Ich hab nicht gewusst, dass wir hierher kommen würden", sagte sie traurig.

„Natürlich nicht. Ich hab's nicht gewusst. Niemand hat's nicht, äh, keiner hat das", sagte Großpapa und verhedderte sich im Satz, brachte ihn aber schließlich mehr oder weniger wieder in Ordnung. „Wir besorgen dir einen. Und ein Handtuch."

Und so lief Fanny dann in einem wunderschönen

roten Badeanzug ans Meer hinunter und sprang in die gekräuselten Wellen, die sich zusammenrollten und sich über sie warfen.

„Kalt?", fragte Großpapa.

„Nein. Wunderbar."

Großpapa warf seinen Stock weit ins Meer hinaus, und Gilbert sprang hinein, schwamm ihm nach und brachte ihn im Maul zurück.

Großpapa zog seine Schuhe und seine Socken aus, rollte die Hosenbeine hoch, tanzte im flachen Wasser umher und schnappte sich immer wieder den Stock, um ihn erneut für Gilbert fortzuwerfen. Fanny schwamm mit dem Hund um die Wette und versuchte, als Erste beim Stock zu sein, aber obwohl sie gut schwimmen konnte, warfen die Wellen sie zurück, und Gilbert gewann jedes Mal. Schon bald war sie ganz außer Atem vor Lachen und vor Anstrengung.

„Oh", sagte sie und warf sich in den trockenen Sand. „Ich bin ganz erschöpft."

„Glücklich?", sagte Großpapa.

„Au!", rief sie aus. Auf ihr landete ein schwerer, nasser Hund, rollte herab und bespritzte sie beide mit Sand.

Großpapa lief hinter Gilbert her und tat so, als wollte er ihn mit seinem Stock schlagen. Gilbert war für Großpapa viel zu schnell und viel zu wendig.

„Sollte er nicht tun", sagte eine dicke Frau in einem

Liegestuhl. „Der arme Hund", sagte ihre Freundin, die einen breiten Hut aufhatte.

„Ein alter Mann wie er", sagte die dicke Frau.

„Sollte es eigentlich besser wissen", stimmte ihre Freundin zu.

Fanny errötete, wandte sich ab und versuchte, nicht zuzuhören, aber es war hoffnungslos.

„Scheint mir nicht ganz richtig im Kopf zu sein!", kam es unter dem breiten Hut hervor.

Gilbert wand sich außer Reichweite von Großpapas Stock, wich zur Seite, sprang in Sicherheit und landete direkt vor ihren Liegestühlen. Eine Sandfontäne schoss empor und überschüttete die beiden Frauen.

„Also, hat man so was schon erlebt!", sagte die Dicke.

„Man sollte dafür sorgen, dass das aufhört", jammerte ihre Freundin. „Man sollte ihn wegholen."

Mit stummen Blicken bat Fanny Großpapa, hinüberzugehen und sich zu entschuldigen und die beiden Frauen zum Schweigen zu bringen.

„Uaaah!", brüllte er.

„Oh!", kreischte es unter dem breiten Hut hervor.

Großpapa tanzte hin und her und schlug sich mit der Hand vor den Mund und heulte wie ein Indianer.

„Uu-hu-hu-hu-hu-hu-hu-hu-hu", sang er. Und dabei drohte er ihnen mit dem Stock.

„Hörn Sie auf damit", sagte die Dicke, „oder Sie werden was erleben. Alberner alter Mann."

Fanny packte Großpapa am Arm.

„Bitte. Lass uns die Felstümpel ansehen."

WUFF, machte Gilbert und sprang davon, zum anderen Ende der Bucht.

„Hast du ihre Gesichter gesehen?", stieß Großpapa hervor. „Oje, oje."

„Hätt er nicht tun sollen", klang es ihnen nach. „Hätt er wirklich nicht tun sollen."

„Den sollte man einsperren."

An den Felstümpeln war es vom Seetang ganz glitschig. Gilbert fiel sofort in den größten Tümpel hinein, und Großpapa wäre es fast genauso ergangen.

„Das war knapp", sagte er und grinste Fanny an.

„Geh da nicht hin", sagte ein Mann in grünen Gummistiefeln.

Fanny blickte sich um. Der Mann sprach zu einem kleinen Jungen mit einem Fischernetz und einem blauen Eimer.

„Was hast du gefangen?", rief Großpapa.

Der Junge sah ihn scheu an.

„Komm her, Laurie", kam es von den grünen Gummistiefeln.

Widerwillig ging der Junge weg.

Großpapa folgte ihm.

„Irgendwas Feines gekriegt?", sagte er.

Laurie drehte sich zu ihm um.

„Vorsicht!", rief es warnend von den grünen Gummistiefeln herüber. „Du wirst noch ausrutschen und dir wehtun."

„Ihm passiert schon nichts", sagte Großpapa. „Geben Sie ihm eine Chance."

„Versuchen wir's hier mal, Laurie", tönte es von den grünen Gummistiefeln her. Großpapa wurde gar nicht beachtet.

Großpapa hob die Arme und blickte die beiden an. Er hob die Füße von den Steinen, erst den einen Fuß, dann den anderen, balancierte waghalsig hin und her und blickte sie dabei fest an. Er knöpfte seine Jacke auf und schielte an seinem Körper herunter. Laurie beobachtete ihn stumm und fasziniert.

„Komm jetzt, Laurie", kam es von den grünen Gummistiefeln.

Aber Laurie konnte seine Augen von dieser seltsamen Vorführung nicht abwenden, und beinahe wäre er beim Rückwärtsgehen böse ausgerutscht.

„Vorsicht!", brüllte es von den grünen Gummistiefeln herüber. „He! Sie da!", rief der Mann Großpapa zu. „Was soll denn das?"

Großpapa fiel die Kinnlade herunter, und er tat so, als wäre er ganz erstaunt. Es war schlecht gespielt. Er drehte den Kopf und schaute nach hinten. Er schaute nach links und nach rechts. Er schaute nach oben, dann nach unten. Dann zeigte er auf sich selbst.

„Ich?", sagte er schließlich.

Fanny strengte sich die ganze Zeit so sehr an, nicht lauthals herauszulachen, dass ihr schon der Bauch wehtat. Laurie war wie gebannt.

Gilbert sprang an Großpapa hoch und leckte ihm das Gesicht.

„Ja, Sie", sagte der Mann in den grünen Gummistiefeln. „Sie haben's fast geschafft, dass mein Sohn hingefallen ist."

„Ich?", wiederholte Großpapa. – „Ja!"

„Oh, ich dachte, ich sei unsichtbar. Ich dachte, Sie könnten mich gar nicht sehen. Ich war mir nicht einmal sicher, ob ich hier war."

Laurie lachte laut heraus. Fanny kreischte.

Der Mann in den grünen Gummistiefeln runzelte die Stirn.

„Als du mir keine Antwort gabst", sagte Großpapa, „dachte ich, dass ich vielleicht unsichtbar geworden sei. Ich war bloß neugierig, ob du irgendetwas gefangen hast. Hast du?"

„Nein", sagte Laurie. „Ich darf nicht."

„Komm jetzt, Laurie", sagte der Mann in den grünen Gummistiefeln.

„Ich darf mich an den Tümpeln nicht über den Rand hängen", sagte Laurie, „damit ich nicht nass werde."

„Du sollst ja nass werden", sagte Großpapa. „Dazu bist du doch hier."

Der Mann in den grünen Gummistiefeln kam mit raschen Schritten heran, um Laurie wegzuholen, aber er bewegte sich zu schnell, verlor den Halt und rutschte in einen tiefen Tümpel hinein. Das Wasser stand ihm bis über die Stiefel, fast bis zum Bauch.

WUFF, machte Gilbert begeistert. Dann sprang er zu ihm hinein und bespritzte ihn von oben bis unten. „Hör auf!", brüllte der Mann. „Hör auf! Du verrückter Hund!"

Gilbert machte es Spaß, angeschrien zu werden, und er sprang noch wilder im Wasser herum.

„Gilbert!", rief Fanny, während sie sich den Bauch vor Lachen hielt. „Hierher!"

Gilbert sprang aus dem Wasser. Ihm folgte, viel langsamer, der Mann in den grünen Gummistiefeln und gab schlürfende und glucksende Geräusche von sich, als er aus dem Wasser kam. Oben an einem seiner Stiefelschäfte hing eine kleine Krabbe.

„Komm mit, Laurie", befahl er. „Wir gehen."

Lauries Augen füllten sich mit Tränen. Ohne etwas zu sagen, drehte er sich um und wollte schon hinter seinem Vater hergehen.

„Das können Sie doch nicht tun", sagte Großpapa.

„Hörn Sie mal", sagte der Mann. „Sie haben schon genug Ärger gemacht."

„Nein, ich nicht", widersprach Großpapa. „Ich habe Sie nicht hineingestoßen. Und sehn Sie mal, er will in den Felstümpeln fischen. Warum sollte er hier weggehen, bloß weil Sie nass sind?"

Der Mann in den grünen Gummistiefeln blickte Laurie an, der heftig mit den Tränen kämpfte.

„Wir passen auch auf ihn auf", bot Fanny an.

„Sie können sich auf den Strand setzen und uns

65

zusehen", sagte Großpapa, „während Sie trocken werden." Laurie blickte auf zu seinem Vater.

Der Mann sah Großpapa finster an. GLUCKS. „Es ist zu gefährlich", sagte er.

Laurie zuckte mit den Schultern, lächelte Fanny zum Abschied fast an, schaffte es aber nicht ganz, und ging dann auf den Mann mit den grünen Gummistiefeln zu.

„Nein", sagte der Mann. „Sie haben Recht. Soll er hier bleiben. Ich seh dir von da drüben aus zu, Laurie", und er zeigte zum Strand.

„Ich begleite Sie bis zum Rand der Felssteine", bot Großpapa an und ergriff den Arm des Mannes.

„Er ist wunderbar", sagte Laurie still.

„Das ist mein Großpapa", sagte Fanny.

„Ist er immer so?"

„Er hat schon immer Spaß gemacht", sagte Fanny. „Aber nicht ganz so sehr wie heute."

„Er ist großartig."

„Hast du denn keinen Großpapa?"

Laurie blickte traurig vor sich hin. „Ich hab einen gehabt", sagte er. „Aber er ist gestorben."

Fanny bekam ein ganz komisches Gefühl.

„War er nett?"

Laurie nickte und schaute aufs Meer hinaus, weg von Fanny.

„Tut mir Leid", sagte sie.

„Schon in Ordnung", sagte Laurie.

„Mein Großpapa ist sehr krank gewesen", sagte Fanny. „Aber dann hat ihn so eine besondere Medizin gesund gemacht. Und jetzt kann er Sachen machen, die er vorher nicht konnte. Selbst, bevor er krank war." – „Wieso?"

Fanny dachte scharf nach, aber ihr fiel keine Antwort ein. „Gehn wir fischen", sagte sie.

Gilbert kam ihnen immer wieder in die Quere, als sie fischten, deshalb warfen sie schließlich Stöcke weit weg, die er wiederholen konnte. Wenn er bei ihnen war, verscheuchte er alle Fische und Krabben, aber als alles ruhig war, fingen sie einen winzigen Plattfisch, zwei Krabben und eine Garnele und einen Fisch, der einen großen Kopf und dicke Barthaare hatte, die fast so groß waren wie Fannys kleiner Finger. Großpapa zeigte ihnen, wie man Steine anhob, so dass die Fische und Krabben am Boden der Tümpel herumflitzten. Fanny fiel zweimal hinein und Laurie einmal. Sein Gesicht wurde ganz starr vor Panik.

„Das macht nichts", sagte Großpapa. „Du bist bloß ein bisschen nass. Das trocknet bald."

„Mein Papa wird böse sein", sagte Laurie und schaute hinüber zu seinem Vater am Strand.

„Glaub ich nicht", sagte Großpapa. „Wie kann er denn? Er ist doch selbst hineingefallen."

Der Mann in den grünen Gummistiefeln (nur, dass er das nicht mehr war, weil er sie ausgezogen hatte und sich die Zehen in der Sonne trocknete), winkte Laurie zu und lachte. Lauries Anspannung ließ nach.

Großpapa warf seinen Stock weit ins Meer, und sie gingen alle mit ihrem Fang zu Lauries Vater, während Gilbert hinausschwamm, um den Stock wiederzuholen.

„Danke", sagte Lauries Vater.

„Ich bin ein bisschen nass", entschuldigte sich Laurie.

„Macht nichts", sagte sein Vater und fuhr Laurie dabei mit der Hand durchs Haar. „Mach dich so nass, wie du willst. Wir sind ja am Meer."

Laurie grinste zu ihm hoch.

„Schau mal die Krabbe hier."

„Sie ist wunderschön", stimmte sein Vater zu.

Mit einem begeisterten WUFF landete Gilbert mitten unter ihnen und ließ den Stock auf Lauries Vater fallen.

„Wirf den Stock für ihn weg, Papa", sagte Laurie.

„Ist das in Ordnung?", fragte er Großpapa.

„Nur zu!"

Lauries Vater ging ans Ufer. Er hob den Spazierstock hoch über den Kopf, ließ seinen Arm kreisen und warf den Stock weit aufs Meer hinaus. Eine Welle erwischte ihn, warf ihn sich über und schleppte ihn noch weiter hinaus.

Gilbert tauchte ins Wasser und jagte hinterher.

Der Stock trieb von ihnen fort.

„Die Ebbe hat eingesetzt", sagte Lauries Vater. „Sie wird ihn einfach forttragen. Tut mir Leid."

„Gilbert!", rief Fanny. Zusammen mit Laurie rannte sie ans Ufer. Beide legten sie ihre Hände wie einen Trichter vor den Mund. „Gilbert! Komm zurück! Lass den Stock!"

Gilbert schwamm weiter hinaus. Er konnte gut schwimmen, und die Strömung der Ebbe trug ihn immer schneller vom Ufer weg. Wenn die Wellen sich auftürmten, tauchte sein Kopf unter und verschwand, tauchte wieder auf, war dann wieder nicht mehr zu sehen. „Gilbert! Komm zurück!"

Lauries Vater watete ins Meer, machte sich dabei wieder klitschnass bis zum Bauch, aber der Treibsand unter seinen Füßen rann immer schneller ins Meer hinein, und er konnte sich nicht weiter hinauswagen. „Tut mir Leid", sagte er, als er triefnass zurückkam. „Tut mir schrecklich Leid."

7. Kapitel

Sie warteten, die Augen noch lange, nachdem Gilbert verschwunden war, voll Schmerz aufs glitzernde Meer gerichtet.

„Komm", sagte Großpapa. „Wir können nicht ewig hier bleiben."

Fanny blickte zu ihm hoch. „Du schon", sagte sie.

Laurie und sein Vater schauten ganz verdutzt drein, sagten aber nichts.

„Ich setze die Fische wieder ins Wasser", sagte Fanny. „Und die Krabben auch."

„Und die Garnele", fügte Laurie hinzu.

Vorsichtig suchten sie sich einen Weg über die Felssteine und leerten den Eimer in einen großen Tümpel. Die Fische flitzten davon und waren im Nu verschwunden. Die Garnele schnippte mit dem Schwanz und schoss außer Sicht. Die kleinere Krabbe grub sich in den Sand ein, bis nur noch ihre Augen herauslugten. Die andere Krabbe krabbelte langsam seitlich unter einen überhängenden Felsstein.

„Wenigstens denen ist nichts passiert", sagte Fanny. Sie stellte sich auf die Zehenspitzen und nutzte die besonders hohen Felssteine dazu, weit aufs Meer hinauszusehen. Von Gilbert keine Spur. Immer mehr Felsen wurden freigelegt, als die Ebbe das Wasser absaugte.

„Wie wär's mit Eis?", schlug Lauries Vater vor.

Laurie lächelte und nickte. Fanny nickte.

„Das ist er", sagte die dicke Frau.

„Den sollte man einsperren", kam es unter dem breiten Hut hervor.

Neben ihnen im Sand saßen jetzt ihre beiden Ehemänner mit einem Teetablett.

Großpapa blickte sie an und wandte sich dann ab.

„So ist's recht", sagte die dicke Frau. „Ham jetzt Angst, uns zu belästigen, was? Jetzt, wo unsere Männer da sind."

„Sollte sich was schämen", ertönte es unter dem breiten Hut.

Großpapa trottete schweigend über den Sand.

Die Eistüten waren riesengroß, mit weißen und rosafarbenen und grünen Eisbällchen. Sie setzten sich alle vier auf eine Bank und schauten aufs Meer hinaus und leckten ihr Eis.

„Ist er dein Hund gewesen?", fragte Laurie.

„Ganz und gar", sagte Fanny entschieden. „Meiner."

„Er war wunderbar", sagte Lauries Vater.

„Er ist wunderbar", sagte Fanny. „Er ist nicht tot. Er ist verschwunden. Er wird wiederkommen."

Alle schwiegen eine Weile.

„Wie alt, äh, ist Gilbert?", fragte Laurie.

„Einundzwanzig", sagte Fanny.

„Das ist alt", sagte Laurie. „Er hat nicht alt ausgesehen."

„Für einen Hund", sagte Fanny. „Einundzwanzig für einen Hund. Drei Menschenjahre. Das ist etwas anderes." – „Oh", sagte Laurie.

„Könnte sein, dass er vielleicht doch nicht zurückkommt", sagte Großpapa sanft.

„Ich weiß", stimmte Fanny zu.

„Sieh mal", sagte Lauries Vater. „Alles geht eines Tages dahin, entschwindet, ist nicht mehr da. Kleider, Bücher, Essen, Bilder, Tiere. Sogar Menschen."

„Ich weiß", stimmte Fanny zu.

„Laurie hat einmal einen Hamster gehabt", sagte er.

„Stimmt", sagte Laurie. „Biscuit."

„Biscuit?", sagte Fanny.

„Er hieß Biscuit. Wir hatten ihn bloß eine Woche lang." – „Was ist denn passiert?"

Laurie zog die Nase hoch und leckte an seinem Eis. „Weiß nicht. Eines Morgens war er einfach tot. Er hatte jede Menge Wasser, jede Menge zu fressen, jede Menge Stroh, in dem er schlafen konnte."

„Oh", sagte Fanny.

„So etwas passiert", sagte Lauries Vater.

„Morgens. Ich bin hingegangen, um nach ihm zu sehen, und er war einfach tot. Lag zusammengerollt im Stroh."

„Alles ist schließlich einmal nicht mehr da", sagte Lauries Vater.

„Ich weiß", sagte Fanny. Sie blickte Großpapa an, der keinen Ton gesagt hatte. „Aber ich bin nicht darauf vorbereitet, dass Gilbert nicht mehr da ist. Noch nicht." Ihr Eis schmolz in der Sonne, floss in einem süßlichen Rinnsal herunter und machte ihr die Hand nass und klebrig. Fanny leckte rund um das Eis herum und schaute scharf aufs Meer hinaus.

„Es wird Zeit, dass wir aufbrechen", sagte Großpapa schließlich.

Fanny und Laurie aßen geräuschvoll den Rest ihrer Eistüten und gingen nebeneinander hinter Großpapa und Lauries Vater her.

„Du wirst nach ihm Ausschau halten, nicht wahr?", fragte Fanny. „Er wird schon zurückkommen."

„Ja", sagte Laurie. „Mann, ist das eurer?"

Mabel sah sehr erfreut aus, sie wieder zu sehen. Im allmählich schwindenden Sonnenlicht grinste ihre silberne Stoßstange sie an.

„Wir sind wieder da, altes Mädchen", sagte Großpapa. „Bereit, nach Hause zu fahren."

WUFF.

Fanny kreischte auf. Mit Großpapas Spazierstock im Maul sprang Gilbert hinter Mabel hervor. WUFF.

„Wo bist du gewesen?", schrie Fanny.

Gilbert sprang an ihr hoch und hinterließ überall auf ihr nasse Pfotenabdrücke.

Laurie hüpfte auf und nieder und presste die Hand seines Vaters.

Großpapa sah sehr froh aus, Gilbert zu sehen, aber er murmelte: „Versteh ich wirklich nicht. Kann doch nicht einfach alles immer wieder zurückkriegen."
Niemand hörte, was er sagte.

„Er muss dem Stock ganz weit hinaus nachgeschwommen und dort zurückgekommen sein, wo die Bucht aufhört und wir nicht hingeschaut haben", sagte Lauries Vater. „Wenn man darüber nachdenkt, dann befindet sich das Ende der Bucht ja weit weg von der Stelle, an der wir standen."

„Stimmt das, Gilbert? Stimmt's?", fragte Fanny.

WUFF, machte Gilbert und ignorierte die Frage. Er ließ den Spazierstock zu Großpapas Füßen fallen und war auf dem Sprung, falls der Stock wieder weggeworfen werden sollte.

„Nein, das machst du nicht", sagte Großpapa. „Das machst du nicht. Alle hinein in die gute Mabel."

Mabels Seiten zitterten vor Vergnügen. Großpapa drückte auf die Hupe. TÖÖT!

„Auf Wiedersehen."

„Wiedersehn."

„Gute Heimfahrt."

„Schönen Urlaub."

„Wiedersehn. Wiedersehn."

„Werd nass. Richtig nass." – „Mach ich."

WUFF. TÖÖT! „Wiedersehn."

Die Wiesen und Felder hatten sie wieder, und die Hügel hoben sie sanft nach Hause. Aber erst, als auch das letzte Dämmerlicht des Tages dahingegangen und erloschen war. Der Mond stieg über den Bäumen auf und leuchtete ihnen mit fahlerem, eher nachdenklichem Schein nach Hause.

„Ihr kommt schrecklich spät", sagte Fannys Mutter.

„Ich kann mir nicht vorstellen, was dir da eingefallen ist", schimpfte ihr Vater Großpapa aus. „Fanny noch so spät draußen zu lassen."

WUFF.

„Ach, sei still, Gilbert. Das hat mit dir nichts zu tun. Wir haben uns große Sorgen gemacht", sagte ihre Mutter.

„Wo ist Schnief-Clara?", wollte Großpapa wissen.

„Fort", sagte Fannys Mutter. „Sie sind alle fort: George, Nell, Clara und Crawly, ich meine, Crawfy."

„Also, das ist eine Erleichterung", sagte Großpapa.

„Sie wollen in ein paar Tagen wiederkommen", sagte Fannys Vater. „Um zu sehen, wie's dir so geht."

„Na schön, dann werden sie einen Schock kriegen, oder? Weil's mir nämlich gut geht. Und mir geht's mit der Zeit immer besser."

„Aber du kannst Fanny nicht so lange wie heute draußen behalten", sagte ihre Mutter. „Hör endlich auf, davon abzulenken. Draußen ist es nicht sicher."

Großpapa entschloss sich, nicht zu widersprechen.

„Wir hatten einen wunderschönen Tag miteinander", sagte Fanny und umarmte ihre Eltern. „Er ist der beste Großpapa auf der Welt. Er hat uns in

Mabel ans Meer mitgenommen. Und wir sind geschwommen und haben in Felstümpel hineingeschaut und Eis gegessen. Und Gilbert war verschwunden, und dann haben wir ihn wieder gefunden. Und wir haben einen Jungen kennen gelernt, Laurie, mit einem schrecklichen Vater, der aber eigentlich wirklich nett ist, wenn man ihn näher kennen lernt, und es war ihm egal, ob man sich nass machte, besonders, nachdem seine Gummistiefel ganz voll gelaufen waren, und er war dann schließlich wirklich richtig nett und …"

„… es wird Zeit, dass du ins Bett gehst", sagte ihre Mutter. „Erst ins Bad, und danach direkt schlafen gehen."

„Na gut", stimmte Fanny zu.

„Hast du wirklich Mabel genommen?", fragte ihr Vater.

„O ja", sagte Großpapa. Er gähnte. „Weißt du, jetzt bin ich wirklich selbst ziemlich müde. Ich glaube, ich gehe auch ins Bett."

„Ich wusste gar nicht, dass du sie immer noch hattest", sagte Fannys Vater. „Nach so langer Zeit."

„O ja", sagte Großpapa. „Konnte mich nicht von ihr trennen. Wie kann man sich von jemandem trennen, den man so sehr mag? Gute Nacht."

Fannys Vater ging hinaus, um sich Mabel anzusehen. Sie stand am Straßenrand, still und ruhig, vielleicht müde nach ihrer langen Fahrt.

Er legte seine Hand auf ihre glatte Motorhaube.

„Es ist schon lange her, altes Mädchen", sagte er, „seit du mich immer ans Meer gebracht hast. Was geht hier vor? Was ist mit Großpapa geschehen?"

Mabel lächelte zu ihm hoch.

Er schaute zum dunklen Himmel empor, zu den überhängenden Zweigen der Bäume. In einem Fenster im ersten Stock ging das Licht an.

„Guten Abend", sagte eine leise Stimme.

Fannys Vater zuckte zusammen. Er hatte niemand die Straße entlang auf ihn zukommen hören.

Eine ältere Frau stand neben ihm. Sie war groß, ein wenig größer als er selbst, und ihre Augen blickten hell und scharf, obgleich ihre Haut trocken und runzlig war. „Guten Abend", antwortete er.

Ihre Augen folgten den seinen, zu dem Schlafzimmerfenster hoch. Auf den Vorhang wurde Großpapas Schatten geworfen. Er hob einen Arm und setzte etwas an die Lippen und schien zu trinken. Der Baum über ihnen schwankte und knarrte, und doch war es windstill. Der nächtliche Duft aus dem Garten wurde intensiver und süßer.

„Ein schöner Abend", sagte die Frau, ohne die Augen vom erleuchteten Fenster abzuwenden.

„Wunderschön", stimmte Fannys Vater zu.

Großpapa senkte den Arm.

„Ich wünsche Ihnen eine gute Nacht", sagte sie und ging weiter.

„Gute Nacht", rief er ihr nach. „Gute Nacht." –

„Fanny", sagte ihre Mutter, „wir haben uns große Sorgen gemacht."
„Tut mir Leid", sagte Fanny. „Ich mach's nicht wieder."
Ihre Mutter nahm Fanny in die Arme.
„Das ist so seltsam", sagte sie. „Großpapa war so krank. Und jetzt versteh ich's gar nicht."
„Es ist herrlich", sagte Fanny. „Er ist wunderbar. Ich will, dass er für immer hier bleibt."
„Gute Nacht", sagte Fannys Mutter.
„Gute Nacht", sagte Fanny.

8. Kapitel

„Ich möchte, dass du mitkommst und Mrs May besuchst", sagte Fanny am nächsten Morgen.

„Ähem, ich bin mir nicht ganz sicher", sagte Großpapa. „Könnte sein, dass ich zu tun habe."

„Du kannst gar nichts zu tun haben", widersprach Fannys Mutter. „Was denn schon?"

„Oh, dies und das", antwortete Großpapa vage. „Es gibt eine Menge zu tun. Nachdem ich so krank gewesen bin. Ich will mich mal umtun."

„Du könntest dich umtun, indem du Mrs May besuchen gehst", sagte Fannys Vater.

Am Frühstückstisch sah es merkwürdig aus. Fanny und ihre Mutter saßen einander gegenüber, wie gewöhnlich. Gilbert, auch wie gewöhnlich, lag unter dem Tisch und streckte den Kopf vor für den Fall, dass etwas zu fressen für ihn herabfiel. Aber da saßen nun zwei Männer am Tisch statt einem. Zwei Männer, die an den anderen beiden Seiten des Tisches einander gegenübersaßen. Fanny blickte vom einen zum andern und wieder zurück, und sie konnte kaum unterscheiden, wer von den beiden ihr Großpapa und wer ihr Vater war.

Und niemand redete darüber. Das war das Allermerkwürdigste.

Dort, wo Großpapas Haar dünn geworden war, war es wieder stark und kräftig. Seine kahle Stelle war zugewachsen. Das Grau war verschwunden, und es war so dunkelbraun wie das Haar von Fannys Vater, vielleicht noch etwas dunkler, weil Großpapa nicht die grauen Strähnen an den Seiten hatte.

Sie sahen aus wie Zwillinge – Vater und Sohn glichen sich fast wie ein Ei dem andern. Und niemand hatte darüber ein einziges Wort verloren.

„Na ja, in Ordnung", stimmte Großpapa zu. „Ich wollte sowieso mit dir hinausgehen", sagte er zu Fanny. „Wir können dabei zuerst deine alte Frau besuchen."

Er zog einen Blazer an – weiß, mit dunkelblauen und goldenen Streifen – und setzte sich einen Strohhut auf mit einem Band in denselben Farben.

„Hab die Sachen schon jahrelang nicht mehr getragen", sagte er.

Fanny kam es auch so vor.

„Wird dir darin nicht zu warm werden?", fragte sie in der Hoffnung, er würde die Sachen wieder ablegen.

„Kein bisschen", sagte er. „Genau das Richtige für den Sommer." Er legte seinen Finger an den Nasenflügel und zwinkerte ihr zu. „Genau das Richtige, um an den Fluss zu gehen."

„Den Fluss?", fragte Fanny. „Haben wir das wirklich vor?"

„Wart's mal einfach ab."

WUFF, machte Gilbert.

„Seid vorsichtig", sagte Fannys Mutter. „Und kommt heute nicht so spät. Um fünf halte ich den Tee bereit."

„WUFF", sagte Großpapa und überraschte Gilbert damit.

Gilbert rannte ihnen voraus, hielt hechelnd an, rannte dann wieder voraus.

Großpapa wartete, bis man sie von Fannys Haus her nicht mehr sehen konnte. „Kennst du so was wie Mäusebimmeln?", fragte er.

„Nein."

„Dann wart mal hier", sagte er. „Tu so, als würdest du dir deinen Schuh zubinden."

Fanny kniete sich auf dem Bürgersteig an einer Gartenmauer nieder. Großpapa schritt durch die Pforte und ging lässig den Gartenweg hoch. Am Haus klopfte er kräftig mit dem Messingklopfer an die Tür.

RAT-A-TAT-TAT!

Dann sauste er den Gartenweg hinunter, bog auf den Bürgersteig ein und fegte an Fanny vorbei.

„Lauf weg!", befahl er ihr.

Fanny sprang auf und sprintete ihm nach. Er lief zu schnell für sie, und sie konnte ihn nicht einholen.

„Ich seh dich wohl!", rief eine verärgerte Stimme. „Ich kenne dich, Fanny Blake. Das sag ich deiner Mama!"

„Oje, oje", lachte Großpapa, als sie um die nächste Ecke gebogen waren.

„Das hättest du nicht tun sollen", sagte Fanny. „Jetzt krieg ich Ärger."

„Kriegst du nicht", versprach Großpapa. „Du hast gar nichts angestellt. Du warst mit mir draußen. Ich werde ihr sagen, dass du nichts angestellt hast. Einem Erwachsenen werden sie nicht widersprechen können."

„Wo ist die Flasche?", fragte Fanny, als sie weitergingen. „Hast du sie mitgenommen?"

„Ach", sagte Großpapa. „Stell keine Fragen, dann hörst du auch keine Lügen."

Aber Fanny sah, wie er mit der Hand an die Jackentasche fuhr, um nachzufühlen.

„Du wirst sie zurückgeben müssen", sagte sie. „Zurück an Mrs May."

Fast holten sie Gilbert ein, aber sobald sie dicht an ihn herangekommen waren, rannte er wieder davon. Großpapa machte ein paar Schritte in einen Vorgarten hinein, packte einen Türklopfer und ratterte gegen eine Tür.

RAT-A-TAT-TAT!

„Lauf weg!" Und schon waren sie fort. Gilbert bellte vor Freude und sprang ihnen voraus.

„Du kleiner Teufelsbraten! Dir werd ich's noch geben!", rief eine verärgerte Stimme.

WUFF.

„Hör auf damit", sagte Fanny, als sie wieder in Sicherheit waren.

„Sie ist uns auf die Straße nachgelaufen", lachte Großpapa. „Hast du sie gesehen?"

„Ja. Und ich will, dass du damit aufhörst."

„Spielverderberin", sagte Großpapa.

Fanny kicherte. „Spaß hat es schon gemacht", gab sie zu.

WUFF.

„Du hast zu viel von dem Zeug getrunken", sagte Fanny. „So, wie du jetzt bist, solltest du überhaupt nicht sein. Du bist zu jung."

„Zu jung", sagte Großpapa. „Zu jung kann man gar nicht sein. Ich bin zu lange zu alt gewesen. So wie jetzt ist es wunderbar."

„Aber Mrs May hat mir das nur gegeben, um dich gesund zu machen. Damit du nicht …"

„Stirbst", sagte Großpapa. „Damit ich nicht sterbe. Und es hat gewirkt. Ich bin nicht dabei zu sterben. Ich werde niemals sterben."

Fanny biss sich auf die Lippen.

„Komm, machen wir's noch einmal", sagte Großpapa.

Fanny war sehr bestimmt, als sie es ihm verbot.

„Mädchen", sagte Großpapa.

„Schluss jetzt", sagte Fanny.

Sie gingen den Weg entlang, und Großpapa beugte sich vor, um die Kräuter zu riechen. Fanny schob den Riegel hoch. „Mrs May!", rief sie aus. „Ich bin's, Fanny. Komm mit", sagte sie zu Großpapa. „Wir gehen hinein."

Großpapa nickte und ging auf sie zu, dann packte er die Tür, klopfte ganz laut daran und rannte den Weg zurück.

„Wir treffen uns am Fluss", rief er. „Wenn du so weit bist."

„Großpapa!", rief Fanny.

„Hallo", sagte Mrs May. „Komm nur herein. Komm nur herein."

WUFF. Gilbert drängte ins Haus hinein, und Fanny folgte ihm und ballte die Faust vor Wut und Beschämung.

„Komm nur herein", sagte Mrs May. „Du lieber Himmel, was für ein Lärm. Du musst nicht anklopfen. Komm nur herein."

„Tut mir Leid", sagte Fanny.

Mrs May stand am Herd und rührte irgendetwas in einem schweren eisernen Topf.

„Und du musst auch nicht schrein", sagte Mrs May.

„Entschuldigung", flüsterte Fanny.

„So ist's besser."

„Es war ein Versehen."

„Ein ziemlich lautes Versehen."

„Ich meine, ich war's gar nicht."

„Ich werd mal …" Mrs May kostete die heiße Flüssigkeit im Topf. „Igitt", sagte sie. „Abscheulich. So ist's gerade richtig. Ich lass es mal köcheln. Nun also. Hast du mir die Flasche zurückgebracht?"

Mit herausforderndem Blick sah sie Fanny direkt und fest an.

„Oh", sagte Fanny. „Tut mir Leid."

„Ich hatte gesagt, bloß gerade so viel", sagte Mrs May, „um ihn gesund zu machen. Keinen Tropfen mehr. Habe ich das nicht gesagt?"

Fanny nickte. Sie biss sich wieder auf die Lippen und hoffte, dass sie nicht weinen würde.

„Und ist er gesund?"

Fanny nickte.

„Und hast du mir die Flasche gebracht?"

Fanny schüttelte den Kopf.

Mrs May wartete, bis sich die stumme Antwort im leeren Raum gesetzt hatte.

Gilbert, dem die lange Pause gar nicht behagte, schnüffelte um Mrs Mays Füße herum.

„Tut mir Leid", sagte Fanny noch einmal.

Sie blickte auf und war überrascht, dass Mrs May gar nicht böse aussah, aber ihre Stimme war immer noch streng, als sie fragte: „Und wo ist sie jetzt?"

„Großpapa hat sie."

„Und wird er sie mir zurückgeben?"

„Ich glaube nicht, dass er das tun will. Ich habe versucht, ihn dazu zu bewegen. Gerade vorhin habe ich ihn hierher gebracht. Er war es, der an die Tür geklopft hat."

„Wartet er jetzt draußen?"

„Nein. Er ist weggelaufen."

„So was wie Mäusebimmeln", sagte Mrs May.

„Kennen Sie das?"

Auf diese Frage hin musste Mrs May lächeln.

„Könnte sein, dass er sie zurückbringt", sagte Fanny.

„Wenn sie leer ist. Oder wenn nur noch ganz wenig drin ist."

„Diese Flasche wird niemals leer", sagte Mrs May.

„Nein", sagte Fanny und dachte dabei, dass sie das eigentlich schon gewusst hatte.

„Also", sagte Mrs May. „Wir müssen sie auf irgendeine andere Weise zurückbekommen. Wirst du dabei helfen?"

„O ja", sagte Fanny.

„Koste es, was es wolle?" Mrs May lächelte immer noch, aber ihre Stimme war strenger denn je.

„Ich denke schon", stimmte Fanny zu. „Das hängt davon ab."

„Koste es, was es wolle?"

„Na gut."

„Sieh zu, dass du sie kriegst", sagte Mrs May. „Bevor es zu spät ist."

„Was passiert denn, wenn es zu spät ist?"

„Das solltest du nicht einmal fragen", warnte Mrs May sie. „Weißt du, wo er ist?"

„Am Fluss."

„Also dann ab mit dir."

Fanny rührte sich nicht.

„Ja?", fragte Mrs May.

„Es tut mir Leid", sagte Fanny zum dritten Mal.

Mrs May trat auf sie zu und schloss sie in die Arme.
„Es ist nicht deine Schuld", sagte sie. „Es ist nicht einmal seine. In Wirklichkeit bin ich schuld. Ich hätte sie ihm nicht geben sollen."

„Warum haben Sie es getan?"

„Du warst betrübt. Ich weiß nicht. Zu der Zeit schien es das Richtige zu sein. Vielleicht war es das auch. Wir werden sehn. Geh jetzt die Flasche für mich holen."

Fanny lächelte. „Danke."

„Übrigens", fragte Mrs May, bevor Fanny ging, „wie alt ist er jetzt?"

Fanny kannte sich nicht so besonders gut aus mit dem Alter von Erwachsenen. „Immer noch alt", sagte sie. „Vierzig? Fünfzig? Ungefähr so alt wie Papa."

„Na gut", sagte Mrs May. „Vielleicht schaffen wir's noch. Beeil dich."

„Hierher!"

Großpapa winkte zu Fanny hinüber.

WUFF.

Gilbert sprang direkt vom Ufer los. Mit den Pfoten berührte er die Längsseite des Kahns. Seine Krallen kratzten am Lack.

PLATSCH!

„Hurra!", rief Großpapa. „Hund über Bord!"

WUFF.

Gilbert strampelte im Wasser herum und brachte den Kahn heftig ins Schwanken, als er versuchte hineinzuklettern.

„Großpapa. Komm ans Ufer", bat Fanny.

Großpapa erhob sich und stieß die Stange in den schlammigen Flussgrund. Der Kahn berührte das Ufer. Gilbert rannte durch das Ufergras, sprang noch einmal ab und landete mitten im Kahn, wo er sich heftig schüttelte und Großpapa ganz nass spritzte.

„Sitz. Pass doch auf, ich habe meinen Blazer an." Großpapa sprang Gilbert aus dem Weg, aber Gilbert freute sich so sehr, Großpapa zu sehen, dass er an ihm hochsprang und den Abdruck von zwei großen nassen Pfoten auf den gestreiften Blazer setzte.

„BRRRRR", knurrte Großpapa, aber das machte Gilbert nur noch mehr Spaß. Er sprang noch einmal an ihm hoch und hinterließ zwei weitere Pfotenabdrücke.

„Runter, Gilbert", sagte Fanny, als sie an Bord kletterte. Und Gilbert ließ sich im Kahn vorne nieder und hängte seine rosarote Zunge wie einen Wimpel aus dem Maul.

„Oh, der Kahn ist wunderbar", sagte Fanny. Und sie umarmte Großpapa und fühlte dabei heimlich nach der kleinen Flasche in der Tasche seines Blazers.

„Gefällt er dir?", fragte er stolz. „Er ist groß genug für uns, denke ich. Hast du's dir bequem gemacht?" Mit dem Fuß stieß Großpapa vom Ufer ab, senkte das Ende der Stange in den Fluss und ließ den Kahn rasch übers Wasser gleiten.

„Juhu!"

„Sei vorsichtig", warnte Fanny.

„Weißt du", sagte Großpapa über die Schulter hinweg, „du sagst einem immer, dass man vorsichtig sein soll. Wirklich, du bist gerade so schlimm wie ein Erwachsener. Kein Sinn für Abenteuer."

RUMMS!

Der Kahn war mit einem Ruderboot zusammengestoßen.

„Entschuldigung", rief Großpapa. „Wir kommen gerade erst in Schwung."

„Sollte vorsichtiger sein", sagte eine Frau mit einem breiten Hut.

„Das ist er wieder", sagte eine dicke Frau neben ihr.

„Was sagst du?", fragte einer der Männer. Er und ein zweiter ruderten.

„Das ist der alte Narr mit dem Spazierstock und dem Hund", sagte die dicke Frau.

„Den sollte man einsperren", ertönte es unter dem breiten Hut.

„Kann er nicht sein", sagte der zweite Mann. „Er ist nicht alt."

„Das ist aber der Hund", sagte die dicke Frau.

„Und das ist das dürre Mädchen mit der Himmelfahrtsnase", kam es unter dem breiten Hut hervor.

Fanny streckte die Zunge raus.

„Liebes Mädchen", sagte Großpapa und stieß mit der Stange kräftig ins Wasser.

„Frechheit!", ertönte es unter dem breiten Hut.

„Mein alter Vater hat mir von Ihnen erzählt", sagte Großpapa zum Ruderboot gewandt, das allmählich davontrieb.

„Sie sind so schlimm wie er", beschwerte sich die dicke Frau.

„Den sollte man …"

Der Kahn glitt um eine Biegung des Flusses, und sie waren allein.

WUFF, bellte Gilbert dem Ruderboot hinterher.

„Schon gut, mein Junge. Sie sind weg", sagte Großpapa. „Hier, Fanny, schau mal in die Tüte da, ja?"

„Spitze", sagte Fanny. „Kuchen, Brote, Sprudel, Äpfel, Schokolade, Chips, noch mehr Schokolade."

„Ich mag Schokolade", erklärte Großpapa.

„Und eingelegte Zwiebeln", sagte Fanny. „Die mag ich nicht."

„Aber ich", sagte Großpapa. „Zu den Broten."

„So ist es wunderschön", sagte Fanny.

Sie lehnte sich in die Kissen zurück und sah zu, wie Großpapa den Kahn mit der Stange voranstieß. Es sah ganz leicht aus.

„Wirf mir einen Apfel herüber", sagte Großpapa.

Fanny warf ihm einen hoch, und er biss kräftig hinein, während der Kahn zwischen den Stößen dahinglitt.

WUFF, beschwerte sich Gilbert. Also machte Fanny eine Tüte Chips auf, und er fraß die Chips langsam und mit großem Vergnügen.

„Ist dir nicht warm?", fragte Fanny.

„Nein", sagte Großpapa.

„Ich meine, in deinem Blazer."

„Eigentlich nicht. Wurde für den Sommer gemacht, der Blazer hier. Um damit Kahn zu fahren."

„Hab mich nur so gefragt."

„Danke."

SCHLÜÜÜRRRF.

„Was war das?", fragte Fanny.

„Die Stange ist stecken geblieben. Der Fluss ist hier ein bisschen verschlammt. Krieg sie gleich wieder frei."

Großpapa kämpfte mit der Stange, und plötzlich kam sie mit einem SPLLLOPP aus dem Schlamm frei. Er taumelte rückwärts, rannte fast den ganzen Kahn entlang und am anderen Ende beinahe ins Wasser, bevor er sein Gleichgewicht wieder fand.

„Immer sachte", rief ein Mann aus einem Ruderboot herüber.

WUFF, machte Gilbert.

KLÄFF, antwortete ein kleiner weißer Hund.

„Alles in Ordnung mit Ihnen?", fragte ein anderer

Mann. Sie saßen zu dritt im Ruderboot, alle in gestreiften Blazern wie der von Großpapa. Einer von ihnen klimperte auf einem kleinen Banjo, spielte aber sehr schlecht.

„Sei still, Montmorency", sagte er zu dem Hund.

KLÄFF.

„Tut nie, was ich ihm sage", meinte der Mann zu Fanny und lüftete höflich seinen Hut.

Fanny lächelte.

WUFF. „Gilbert!"

KLÄFF.

„Montmorency!"

„Alles völlig in Ordnung, danke", antwortete Großpapa, als sich die beiden Boote kreuzten. „Schon lange auf dem Fluss gewesen?"

„O ja", sagte der dritte Mann. „Eine Ewigkeit."

„Kommt mir wie Jahre vor", sagte der Mann mit dem kleinen Banjo.

„Auf Wiedersehen", rief Großpapa.

Die Boote trieben voneinander fort.

„Ihnen noch einen schönen Tag", sangen die drei Männer im Chor. Sie lüfteten die Hüte.

WUFF.

KLÄFF.

Das Banjogeklimper wurde allmählich leiser.

„Bitte, sei vorsichtig", sagte Fanny.

„Jetzt kommst du mir schon wieder damit", lachte Großpapa.

„Vielleicht sollte ich deinen Blazer nehmen, damit er nicht nass wird", bot Fanny an. „Das Wasser spritzt dir die Arme hoch, wenn du die Stange herausziehst."

„Na gut", stimmte Großpapa zu. „Keine schlechte Idee. Aber zuerst nehme ich mal gerade einen kleinen Schluck. Diese Arbeit macht durstig."

Er holte die kleine Flasche aus der Jackentasche und entkorkte sie.

Ein Eisvogel stürzte sich von den Bäumen herab, zerteilte das ruhig dahinfließende Wasser, ein Flügelschwirren, und dann flog er empor mit einem Fisch, der silbern in seinem Schnabel glitzerte. Die Bäume neigten sich über das Ufer, als wollten sie ihre Bewunderung ausdrücken.

„Ah", sagte Großpapa. Er steckte die Flasche in seine Hosentasche, zog seine Jacke aus und warf sie Fanny zu. „Danke", sagte er.

„Bitte", sagte Fanny. „Bitte, lass sie mich zurückbringen."

„Wenn sie leer ist", sagte Großpapa. „Ich lasse dich die leere Flasche zurückbringen."

Fanny beschloss, die Sache für den Augenblick aufzugeben und sich zurückzulehnen und den Nachmittag auf dem Fluss zu genießen.

„Es war einfach herrlich", erzählte sie ihrer Mutter zur Teezeit.

„Ich habe eine Schwanenfeder bekommen, und da war ein Teichhuhn mit sechs Küken, und sie waren wunderschön …"

„Pssst", sagte ihre Mutter. „Du musst nicht schreien."

„Hab ich doch gar nicht gemacht", sagte Fanny. „Und Großpapa ist an der Stange hängen geblieben."

„Er hat was getan?"

„Ach, bloß ein kleiner Zwischenfall", sagte Großpapa. „War nicht meine Schuld."

„Die Stange steckte im Wasser fest, und der Kahn trieb davon", sagte Fanny.

Fannys Mutter versuchte, nicht laut aufzulachen.

„Und er hat daran gezappelt wie ein Affe an einem Ast", kreischte Fanny.

„Pssst", warnte ihre Mutter sie noch einmal.

„Daran war ein Ruderboot schuld", erklärte Großpapa. „Es hat uns angerempelt. Bis dahin hatte ich alles völlig im Griff."

„Und eine dicke Frau in dem Boot hat Großpapa angebrüllt", brüllte Fanny.

WUFF, stimmte Gilbert zu.

„Und eine Frau mit einem breiten Hut hat gesagt, er sollte eigentlich überhaupt nicht auf dem Fluss fahren, sollte er wirklich nicht!"

Fannys Mutter gab ihren Versuch auf, nicht laut aufzulachen.

„Ich gehe aus", sagte Großpapa und bemühte sich,

würdevoll auszusehen. „Es könnte sein, dass ich spät nach Hause komme."

„Schließlich hat ein Mann in einem anderen Boot den Kahn zu Großpapa zurückgeschubst, und er ist wieder eingestiegen", sagte Fanny. „Also war alles in Ordnung."

„Auf Wiedersehen", rief Großpapa.

BÄNG!

„Oh, ich glaube, er ist sauer", sagte Fanny.

„Nein. Er kommt schon darüber hinweg", sagte ihre Mutter. „Er hat einen wunderschönen Tag gehabt."

„Ich auch", sagte Fanny.

Fannys Mutter blickte ernst. „Ich weiß nicht, was hier vor sich geht", sagte sie. „Was hast du gemacht?"

„Nichts."

„Fanny."

„Ich bring's wieder in Ordnung", versprach Fanny.

„Aber er verändert sich die ganze Zeit", beharrte ihre Mutter. „Sieh ihn dir doch mal an, wie er gerade eben war."

„Ja."

„Er sieht jünger aus als dein Vater. Ich glaube, er ist jünger als dein Vater."

Fanny hatte sich das nicht gern eingestehen wollen, aber es stimmte.

Großpapa sah beim Tee wenigstens fünfzehn Jahre jünger aus als noch beim Frühstück.

„Ich kann das wieder in Ordnung bringen. Ich verspreche es."

„Wenn er doch nur wieder er selbst sein könnte", sagte ihre Mutter.

„Aber er lag im Sterben", sagte Fanny.

Ihre Mutter sagte nichts darauf.

„Ich gehe zu Mrs May", sagte Fanny. „Sofort."

9. Kapitel

„Ich konnte sie nicht kriegen", sagte Fanny.

Mrs May zuckte mit ihren großen Schultern. „Das macht nichts", sagte sie.

„Aber ich dachte, Sie würden wütend sein."

„Wütend, meine Liebe. Nicht nötig, wütend zu sein."

„Aber er trinkt das immer noch."

Mrs May kippte ihren Eisentopf und goss eine weiße Flüssigkeit in eine klare Glasflasche von derselben Form wie jene, die Großpapa in seiner Tasche hatte.

„Er hat die ganze Zeit damit gerechnet, dass ich sie ihm wegnehme", sagte Fanny. „Ich konnte nicht einmal in die Nähe der Flasche kommen."

„Das macht nichts", sagte Mrs May. „Jetzt nicht. Ist ganz egal, ob er weiter davon trinkt oder nicht."

„Aber er wird immer jünger", sagte Fanny. „Die ganze Zeit über. Wie alt wird er morgen sein?"

„Ah", sagte Mrs May. „Also, das ist eine gute Frage. Ich weiß nur, das wird jetzt nicht aufhören, ob er nun noch mehr trinkt oder nicht. Das wird nicht aufhören."

„Aber warum?", fragte Fanny.

„Weil", sagte Mrs May, „nichts jemals aufhört." Sie goss den letzten Rest der weißen Flüssigkeit in die klare Flasche. Die Flüssigkeit war so ähnlich wie Milch, aber nicht ganz. Ein silberner Lichtschein tanzte durch sie hindurch und ließ sie funkeln. „Es macht keinen Unterschied, ob man vorwärts geht oder zurück, man muss einfach weiterreisen."

„Aber wohin?", fragte Fanny. „Wohin ist er denn unterwegs?"

„Oh, das ist leicht", sagte Mrs May. „Er ist auf einer Reise rückwärts. Er ist dort überall schon gewesen. Das Aufregende ist, unterwegs zu sein in die Zukunft. Dazu sind wir da. Dann wissen wir nie, wohin wir gehen. Das ist das wirklich Aufregende."

„Das verstehe ich nicht", beschwerte sich Fanny.

„Mach dir nichts daraus", sagte Mrs May. „Der Trank hat seine Wirkung getan. Er hat ihn in die andere Richtung aufbrechen lassen." Sie watschelte um den großen Küchentisch herum und setzte sich. „Das habe ich nicht gewollt. Ich wollte nur, dass er stehen blieb, für ein paar Wochen, ein paar Monate, bloß so lange, bis du genügend Zeit hattest, dich daran zu gewöhnen, was ihm geschehen sollte. Aber du hast ihm die Flasche gegeben, und er hat zu viel getrunken. Und jetzt ist er auf einer Reise rückwärts."

„Das haben Sie schon gesagt", sagte Fanny.

„Hab ich? Ja, vermutlich schon."

Fanny stellte sich ganz dicht vor Mrs May und blickte sie an.

„Ich will, dass das aufhört", sagte sie. „Ich will es so, wie es vorher gewesen ist."

Mrs May legte ihren Arm um Fannys schmale Schultern und drückte sie fest. „Willst du das?", sagte sie, als redete sie zu sich selbst. „Das habe ich mir schon gedacht." Sie strich Fanny übers Haar. „Sag mir Bescheid, was geschieht. Bring ihn hierher, wann immer du willst. Ich bin nicht im Geringsten wütend, weder auf dich noch auf ihn. Es ist meine Schuld."

Gilbert leckte Fannys Hand.

„Danke", sagte Fanny. „Und es tut mir Leid."

„Ab mit dir", sagte Mrs May. „Sag mir Bescheid, was passiert." Fanny wandte sich zum Gehen.

„Übrigens", sagte Mrs May.

„Ja?"

„Hat es dir gut getan? Ihn so zu haben für ein paar Tage?"

„O ja." – „Gut."

„Danke."

„Oh, du musst mir nicht danken. Aber …"

„Ja?"

„Aber du könntest vielleicht noch ein bisschen mehr Spaß haben, bevor alles vorbei ist."

Fanny schlief fest.

KRACH! KLIRR!

WUFF.

„Hmmm?", stöhnte sie im Schlaf.

WUFF.

„Still, Gilbert", rief eine Stimme. „Pscht. Isch spät."

PENG!

WUFF.

„Pscht. Hick." Dann Gekicher. „Dasch isch 'n Mülleimer. Lasch mal, wir heben ihn auf."

KLIRR.

WUFF.

„Uuupsch." KRACH!

„Laschen ihn bescher liegen. Gehn ins Bett, wasch?"

WUFF. „Pscht."

Draußen wurde alles still. Fanny schlief wieder ein.

„Zeit zum Frühstücken!", rief Fannys Mutter die
Treppe hinauf. „Nun wach mal auf, Fanny. Sonst
kommst du zu spät zur Schule."

Fanny kroch aus dem Bett und kratzte sich am Kopf
und versuchte, sich zu erinnern, was sie in der Nacht
aufgeweckt hatte. Sie schaute durch die Gardinen
nach draußen und sah, dass der Mülleimer umgefal-
len war und alle Abfälle verstreut herumlagen.

„Ohhhh."

Fanny lauschte.

„Oooohhh."

Großpapa stöhnte.

Er war wieder krank! Er lag im Sterben. Mrs May
hatte gesagt, dass alles aufhören würde. Es war zu
spät, sich Sorgen zu machen um die Flasche.

Fanny rannte aus ihrem Zimmer.

„Mama! Mama! Schnell! Großpapa ist krank!"

Fannys Mutter rannte die Treppe hoch, immer zwei Stufen auf einmal. „Wo? Warum? Was ist los?"

„Hör doch."

„Oohhhh."

Fanny wischte sich mit dem Ärmel ihres Pyjamas über die Augen.

„Es ist meine Schuld", sagte sie. „Ich habe ihn mit nach draußen genommen. Er war nicht gesund genug, und ich bin mit ihm rausgegangen."

„Schon gut", sagte ihre Mutter. „Er ist gestern Nacht sehr spät nach Hause gekommen, und da hast du ihn nicht mit rausgenommen, oder?" – „Nein."

„Und letzte Nacht war alles in Ordnung mit ihm. Zumindest – ich habe ihn nicht gesehen, aber er hat mir gute Nacht zugerufen, als er nach Hause kam. Ich lag im Bett."

„Ooohhhhhhhhhh."

„Wir sehen mal besser nach", sagte Fanny, aber sie wagte nicht hineinzuschauen, als ihre Mutter die Schlafzimmertür aufmachte.

„Ooooohhhhhh", stöhnte Großpapa.

„Oh!", sagte Fannys Mutter.

Fanny linste durch ihre Finger.

Großpapa war nicht da.

„Was soll das bedeuten?", rief Fannys Mutter ärgerlich.

„Ooooohhh", stöhnte der Junge im Bett.

„Wo ist Großpapa?", fragte Fanny.

„Hallo, Fanny", sagte der Junge. „Ooohh, ich habe schreckliche Kopfschmerzen."

„Das sollte ich meinen, bei all dem, was du letzte Nacht getrunken hast", sagte Fannys Mutter.

„Großpapa?", sagte Fanny und ging näher an ihn heran. „Bist du das?"

„Natürlich bin ich's", sagte der Junge. „Wer sollte es denn sonst sein? Oohhh. Ich habe Durst."

WUFF. Gilbert lernte gern neue Leute kennen.

„Ooohhh, sei still, du dummer Hund", sagte der Junge.

Gilbert zog sich schmollend zurück.

„Ihr kommt mal lieber herunter, alle beide", sagte Fannys Mutter. „Und dann klären wir das hier mal."

Der Junge langte hinunter in den Schrank am Bett und nahm einen großen Schluck aus einer Flasche. Er hustete heftig, trank noch einmal und atmete tief durch.

„Ah", sagte er. „So ist's schon besser." Er schüttelte sich. „Mann. Das tut richtig gut." Probeweise bewegte er seinen Kopf hin und her. „Weg", sagte er. „Die Kopfschmerzen sind verflogen."

WUFF.

„Hallo, Gilbert. Komm zu Großpapa."

Gilbert sprang aufs Bett und leckte dem Jungen das Gesicht.

„Auf mit dir, Jack", sagte Fannys Mutter. „Frühstück."

Als er aufstand, sah der Junge sehr albern aus. Sein Nachthemd schlotterte an ihm herum wie ein Zelt.

„Haha", sagte er. „Was geht hier vor? Ich stecke in Riesenkleidern."

Er blickte zu Fannys Mutter hoch. „Und du bist gewachsen", sagte er überrascht. „Und du auch, junge Fanny."

„Wir reden unten darüber", sagte Fannys Mutter.

„Ich bin ein Junge!", rief Großpapa. „Bin ich doch, nicht? Ich bin wieder ein Junge."

„Sieht so ziemlich danach aus", stimmte Fannys Mutter zu.

„Aber das kann ich doch gar nicht sein. Ich will das nicht sein."

„Zieh dich an und komm herunter", sagte sie.

„Wie?"

„Was?"

„Wie? Wie kann ich mich denn anziehen? Ich habe keine Sachen."

In seiner Verblüffung sah er so komisch aus, dass sich Fanny vor Lachen auf dem Bett wälzte.

„Hör auf", sagte er.

WUFF.

„Ich habe ein paar Sachen", bot sie ihm an.

„Kann doch nicht Mädchenkleidung anziehen", sagte Großpapa.

„Das ist eine gute Idee", sagte Fannys Mutter.

„Nein! Mädchenkleidung zieh ich nicht an! Zieh

kein Kleid an. Seid doch nicht dumm", sagte Großpapa.

„Hier", sagte Fannys Mutter. Sie holte ein Paar
Jeans, ein Sweatshirt und ein Paar Turnschuhe herbei. „Das reicht erst einmal."

„Na gut", meinte Großpapa mürrisch.

„Zieh das an und lass dich mal ansehen", sagte sie.

„Nicht, während ihr im Zimmer seid. Wartet
draußen."

„Wir treffen dich dann unten", sagte sie. „Komm,
Fanny."

WUFF.

Großpapa sah in Fannys Sachen ganz ordentlich
aus. „Passen doch prima", sagte Fannys Mutter.

„Gibt's noch mehr Toast?", fragte er. „Und ge-
backene Bohnen."

„Nein, iss auf, was du gekriegt hast."

„Ich gehe heute raus", sagte er.

„Du wirst zur Schule gehen."

„Was?"

„Was?", wiederholte Fanny.

„Du hast gehört, was ich gesagt habe. Du wirst zur
Schule gehen."

„Ich bin zu alt, um noch zur Schule zu gehen."

„In meinen Augen bist du nicht zu alt."

„Ich kann da nicht hingehen."

„Du kannst nicht allein rausgehen. Das ist zu gefährlich."

„Also …“

„Und ich werde dich nicht den ganzen Tag hier behalten, damit du mir ständig in die Quere kommst.“

„Aber …“

„Kein aber. Hier sind deine Mittagsbrote. Und hier sind deine, Fanny.“

„Danke.“

„Danke.“

„Ich werde die Schulleitung anrufen und ihr sagen, dass du bei uns zu Besuch bist. Das ist im Augenblick alles, was ich tun kann. Wir werden einfach sagen, dass du ein Verwandter von Fanny bist.“

„Ich bin ja auch ein Verwandter von Fanny“, sagte Großpapa.

„Ich werde ihnen nicht erzählen, dass du ihr Großpapa bist“, sagte Fannys Mutter. „Sonst denken die noch, ich sei verrückt.“

Ziemlich unwillig ging Großpapa zusammen mit Fanny aus dem Haus.

„Und ich bin mir gar nicht so sicher, ob sie damit nicht Recht hätten“, sagte Fannys Mutter zu sich selbst, während sie beobachtete, wie die beiden die Tür hinter sich schlossen. „Vielleicht bin ich wirklich verrückt.“

WUFF, stimmte Gilbert zu.

„Wir fahren in Mabel zur Schule“, sagte Großpapa.

„Aber Großpapa“, begann Fanny einzuwenden, „das können wir nicht.“

„O doch, das können wir", sagte Großpapa und zog die Autoschlüssel aus der Tasche. „Und du fängst mal besser an, mich Jack zu nennen, sonst schauen uns die Leute dumm an."

Er öffnete die Wagentür und kletterte hinein.

„Ich fahr nicht mit dir", sagte Fanny.

TÖÖT. TÖÖT!

„Steig ein."

„Nein!"

GRARRRGH, röhrte der Motor.

TÖÖT!

„Gute alte Mabel. Springt gleich beim ersten Mal an. Steig ein, Fanny."

„Du kannst nicht fahren."

„Die Pedale sind ein bisschen weit weg", stimmte Großpapa zu, während er mit den Füßen in der Luft schlenkerte und sie zu erreichen versuchte. „Wir werden unser Bestes tun. Steig ein."

TÖÖT!

„Na schau mal da, na schau mal da. Was soll denn das hier?"

„Auweia", stöhnte Fanny.

„Du kannst da nicht drin sitzen, mein Junge", sagte der Polizist freundlich. „Sonst verursachst du noch einen Unfall."

„Bitte, kümmern Sie sich um Ihre eigenen Angelegenheiten, guter Mann", sagte Großpapa.

„Na, schau mal da." Der freundliche Ausdruck verschwand aus dem roten Gesicht des Polizisten. „Also dann, Bürschchen. Das reicht jetzt."

„Das reicht mir jetzt von Ihnen", sagte Großpapa. „Kümmern Sie sich um Ihre eigenen Angelegenheiten."

„Großpapa", flüsterte Fanny. „Sprich nicht so zu ihm."

Die Ohren des Polizisten wurden so rot wie sein Gesicht. „Na schön", sagte er. „Du wolltest es ja so haben. Raus mit dir, Bürschchen. Auf der Stelle."

Er riss die Tür auf und zerrte Großpapa an der Schulter.

„Au", brüllte Großpapa. „Lassen Sie mich los. Verschwinden Sie."

„Entschuldigung, Herr Wachtmeister", sagte Fanny. „Er hat nur einen Scherz gemacht. Er wird jetzt draußen bleiben. Nicht wahr, Groß… Jack?"

Der Polizist langte in das Auto hinein und zog die Schlüssel von Mabel ab. Sie verstummte.

„Geben Sie sie her", forderte Großpapa.

„Na, schau mal da", sagte der Polizist. Sein Hals war jetzt so rot wie seine Ohren und sein Gesicht.

„Entschuldigung", sagte Großpapa mürrisch und scharrte mit dem Schuh auf dem Bürgersteig.

„Ich nehme die hier in Gewahrsam", sagte der Polizist, „bis deine Mama oder dein Papa zur Wache kommen, um sie abzuholen. In Ordnung?"

„Lassen Sie bloß …", fing Großpapa an.

„Das geht in Ordnung", sagte Fanny. „Wir werden's ihnen sagen."

„Ja", sagte der Polizist. „Und ich werde ihnen auch etwas zu sagen haben. Lassen so einfach zu, dass du den Wagen startest. Unerhört!"

Böse blickte Großpapa dem Rücken des Polizisten nach.

„Komm jetzt", sagte Fanny. „Wir kommen noch zu spät zur Schule."

„Na gut", sagte Großpapa.

„Und in der Schule wirst du dich ordentlich benehmen, nicht wahr?", bat sie ihn.

Großpapa grinste. „Ich freue mich schon darauf, wieder in die Schule zu kommen", sagte er. „Da gibt's so ein paar Sachen, die ich tun will."

„O nein", sagte Fanny.

10. Kapitel

Großpapa hob einen Stock vom Bürgersteig auf, und während er zur Schule rannte, schlug er damit gegen Zäune und Tore und ließ ihn den Schulhofzaun entlangrattern. PLINK. PLINK. PLINK. PLINK. PLINK. PLINK. PLINK. PLINK. PLINK. PLINK. PLINK. PLINK. PLINK.

„Du da, hör auf damit", donnerte eine tiefe Stimme.

„Hääähä!", antwortete Großpapa.

„Du da!", brüllte die Stimme. „Komm sofort her."

„Sei still, Großpapa", sagte Fanny. „Das ist Mr Murdwood."

„Wer ist das?", wollte Großpapa wissen.

„Das ist der Schrecken der Schule", sagte Fanny. „Sei bloß nicht frech zu ihm."

Sie trotteten zu dem Lehrer hin.

„He, Junge!"

„Was, ich?", sagte Großpapa lässig.

„Ja, Junge. Du da. Was meinst du wohl, was du vorhast?"

„Wieder in die Schule kommen."

Mr Murdwood fiel die Kinnlade herunter. So hatte noch nie jemand zu ihm gesprochen. „Weißt du denn, wer ich bin, Junge?", wollte er wissen.

„Nein."

Das war die falsche Antwort. Eigentlich hätte Groß-papa sagen sollen: „Jawohl. Bitte um Entschuldigung, Sir. Mr Murdwood." Dann hätte Mr Murdwood so richtig in Fahrt kommen und ihm eine Standpauke halten können, die er nie vergessen würde. Das machte Mr Murdwood oft so mit Kindern. „Ich habe ihm eine Standpauke gehalten, die er nie vergessen wird", pflegte Mr Murdwood zu den anderen Lehrern zu sagen.

„Bitte, Sir", sagte Fanny. „Er geht sonst nicht in diese Schule hier. Deshalb weiß er wirklich nicht, wer Sie sind. Wirklich und wahrhaftig."

Die anderen Kinder auf dem Schulhof nahmen allmählich freundschaftlichen Anteil an dem Geschehen.

„Also, hör mir mal zu, äh, du, wie heißt du?"

„Mr Blake", sagte Großpapa.

Die Kinder kicherten. Mr Murdwood traten die Kaumuskeln hervor. „Spiel mir hier nicht den Schlaukopf, Junge", sagte er. „Wie heißt du?"

„Hab ich Ihnen doch schon gesagt", sagte Großpapa. „Mr Blake. Und Sie?"

„Also, das langt jetzt", sagte Mr Murdwood. „Du kommst mit." Er packte Großpapa am Genick und führte ihn ab. Von den Zuschauern hörte man hier und da Beifall. „Und du, Mädchen", sagte er zu Fanny. „Fanny, nicht wahr? Miss Goodings' Klasse. Du kommst auch mit."

„O nein", stöhnte Fanny, und sie senkte den Kopf vor Scham und ging hinter ihnen her.

„Loslassen", protestierte Großpapa.

„Oh, bitte", flüsterte Fanny vor sich hin. „Bitte, sei still, Großpapa."

Der Rektor war äußerst überrascht, als Mr Murdwood mit einem fremden Jungen am Wickel in sein Arbeitszimmer platzte und ein kleines Mädchen schüchtern zur Tür hereinguckte.

„Fanny, nicht wahr?", fragte er. „Wie geht's dir?"

„Sehr gut, danke", sagte Fanny.

„Also, mir geht's verflixt nicht gut", sagte Großpapa. „Sagen Sie dem Kerl hier, er soll mich loslassen."

„Da sehn Sie's", sagte Mr Murdwood.

„Nein, eigentlich nicht", gab der Rektor zu. „Nein, ich seh's nicht."

„Ich bring ihn vor Gericht", sagte Großpapa. Und er trat Mr Murdwood gezielt gegen das Schienbein. „Au."

„Hab ich Sie erwischt!", sagte Großpapa. „Brauchte nur zu warten, bis Sie still standen."

„Großpapa", sagte Fanny. „Das darfst du nicht."

Der Rektor schaute verblüfft drein.

„Äh, nein", stimmte er zu. „Das darfst du nicht tun."

„Da sehn Sie's", sagte Mr Murdwood noch einmal. Er rieb sich das Bein und hüpfte umher.

„Nein", sagte der Rektor noch einmal. „Ich seh's immer noch nicht. Begreifst du das, Fanny?"

Und Fanny versuchte, den Rektor davon zu überzeugen, dass Großpapa (oder vielmehr Jack Blake, ihr Verwandter, der bei ihr zu Besuch war) Mr Murdwood wohl irgendwie missverstanden haben musste, und weil eine Menge Leute Mr Murdwood ständig irgendwie missverstanden, war der Rektor schon bald zufrieden gestellt.

„Aber wenn du in diese Schule kommst, während du bei Fanny zu Besuch bist, dann lernst du besser mal, zu den Lehrern höflicher zu sein", sagte er ziemlich streng zu Großpapa.

„Er scheint ein anständiger alter Bursche zu sein", sagte Großpapa, als Fanny und er zu ihrem Klassenzimmer gingen.

„Bitte, versuch dich gut zu benehmen", sagte Fanny.

„Hast du sein Gesicht gesehen, als ich ihm einen Fußtritt gab?" Großpapa kicherte.

Fanny kicherte auch.

„Und das Gesicht des Rektors, als du mich Großpapa nanntest?"

„Da sind wir", sagte Fanny. „Und sei bitte nett zu Miss Goodings."

„Na schön", stimmte Großpapa zu.

Fanny seufzte erleichtert auf.

„Wenn sie nett zu mir ist", fügte er hinzu.

Miss Goodings nahm Großpapa freundlich in Empfang und wies ihm einen Platz weit weg von Fanny auf der anderen Seite des Klassenzimmers zu.

„Wir beschäftigen uns gerade mit dem Zweiten Weltkrieg", erklärte sie. „Und wir denken gerade darüber nach, wie sich die Leute wohl gefühlt haben, als die Städte bombardiert wurden."

„Voller Angst", sagte Lennie.

„Nein", sagte Jo. „Sie waren mutig. Die paar Bomben haben ihnen nichts ausgemacht."

„Sie hatten Luftschutzkeller", sagte Graham.

„Und sie haben sich in ihnen versteckt, also müssen sie Angst gehabt haben", sagte Lennie. Er strahlte siegesbewusst in die Runde.

„Wenn man wegen der Bomben in einen Luftschutzkeller geht, muss das nicht heißen, dass man Angst hat", sagte Lizzie.

„Man wär ja blöd, wenn man da nicht hineueinginge", sagte Graham.

„Nein", sagte Lennie. „Denk doch mal nach. Man wäre einfach blöd, wenn man keine Angst hätte. Ich meine, wenn die Bomben fallen und alles in die Luft jagen. Da musste man doch Angst haben."

„BUMM!", machte Graham.

Anna streckte abwehrend die Arme aus. „O neiiiiiin", jammerte sie.

„BUMM!", machte Graham noch einmal.

„Hör auf", sagte Miss Goodings lächelnd. „Das reicht."

„So war es gar nicht", sagte Großvater ruhig.

„BUMM!", machte Graham, wenn auch weniger

113

überzeugend als zuvor. Miss Goodings sah ihn mit jenem Blick an, der ihm sagte, dass er jetzt still sein sollte.

„Was hast du gemeint, Jack?", fragte sie ermutigend.

„So war es nicht", sagte er noch einmal. „Jedenfalls nicht hier."

„Nein?", ermunterte sie ihn weiterzureden.

„Die meisten Bomben haben keinen Lärm gemacht oder doch nicht viel. Sie sind nicht explodiert."

Graham lachte. „Das machen die doch aber. Dazu sind Bomben da." Und er fügte ein letztes, ziemlich leises BUMM hinzu.

„Diese nicht", sagte Jack. Sein kleines, junges Gesicht war traurig. „Sie sind leise aufgeplatzt, und dann haben sie Feuer ausgeworfen. Das waren sie. Brandstifter. Brandbomben."

Die Klasse war jetzt mucksmäuschenstill.

„Sie wurden über der ganzen Stadt abgeworfen. Sie sind von den Dächern herabgerollt. Sie haben die Dachziegel durchschlagen. Sie sind aufgebrochen und haben ihr Feuer über die ganze Stadt ausgegossen. Über Häuser. Geschäfte. Krankenhäuser. Kinos. Überall. Man konnte riechen, wie das Fleisch in den Metzgereien briet."

„Hmmm, lecker", sagte Anna.

„Psst", sagte Miss Goodings.

„War es nur Schlachtfleisch?", fragte Lennie.

Großpapa überhörte die Frage.

„Und die Kirchen", sagte er. „Sie standen alle in Flammen. Überall. Es war mitten in der Nacht, und der Mond schien am Himmel, sehr hell, voll und klar. Und der Schein von den Flammen. Es war taghell. Und die Flugzeuge kamen immer wieder, immer mehr, mit diesen Bomben. Die Leute rannten umher, um Schutz zu finden, und es gab keinen Schutz. Einige saßen in ihren Häusern gefangen und konnten nicht hinaus, während die Flammen ganze Straßenzüge verschlangen."

„Warum?", sagte Graham. „Warum haben sie das getan?"

„Die Fabriken", sagte Großpapa. „Sie wollten die Fabriken zerstören. Dort wurden unsere Flugzeuge hergestellt, Autos, alles für den Krieg. Die wollten sie kaputtmachen. Aber sie machten auch die ganze Stadt kaputt, nicht bloß die Fabriken. Bei all dem drehten die Hunde durch. Gebäude stürzten ein, als das Feuer sie angriff. Und die Hitze dabei und die Panik. Hunde kriegen sehr schnell Angst. Aber die Menschen waren nicht so ängstlich", sagte er zu Lennie. „Nicht wirklich. Dazu schien keine Zeit zu sein."

Lennie, dem der Mund weit offen stand, nickte.

„Aber am nächsten Morgen", sagte Großpapa langsam und ruhig, „hast du nach Freunden gesucht, und sie waren verschwunden. In der Luft lag noch der Geruch nach Rauch und unter deinen Füßen die

Asche, wohin auch immer du gingst. Und unter dem kalten Grau brach die Glut hervor, wenn du mit dem Fuß daran gestoßen bist. Das Feuer war immer noch da. Aber die Menschen waren verschwunden. Tommy Ellis, Stan French, Harry Eyres. Alle weg. Alle tot. In ihren Zwanzigern, Dreißigern. Junge Männer. Sie waren dageblieben, um zu helfen. Hatten versucht, die Feuersbrunst zu bekämpfen. Aber es half alles nichts. Es gab zu viele Bomben, nicht genug Feuerwehren. Nicht genug Wasser. – Und auseinander gerissene Familien. Kinder: Tony James war sieben; Timmy Smail war zwölf; Hilda Russell, sie war neun. Und Patty Blake, meine kleine Schwester, fünfzehn, tot."

Großpapa hielt inne und starrte die anderen in der Klasse an. „Du hast also keine Angst gehabt", sagte er. „Nicht zu jener Zeit. Erst später. Viel später."

Lennie lachte plötzlich. Fanny stockte der Atem.

Miss Goodings blickte Lennie zornig an. „Danke sehr, Jack", sagte sie. „Das hast du wunderschön erzählt. Genau so muss es gewesen sein. Du könntest fast dabei gewesen sein."

„Oh", sagte Großpapa, schob seinen Stuhl zurück und stand auf. „Das war ich auch. Ich bin dabei gewesen. Aber ich glaube, es wird Zeit, dass ich jetzt gehe. Ich sollte eigentlich schon auf dem Weg sein."

11. Kapitel

Fanny rannte aus dem Klassenzimmer und hinter Großpapa her.

„Halt! Halt!"

Großpapa sprintete über den Schulhof, durch das Tor und davon.

Fanny erreichte das Tor und schaute die Straße hinunter. Großpapas Füße verschwanden gerade um die Ecke.

„Na, schau mal da", donnerte eine Stimme aus einem Fenster heraus. „Was geht hier vor?" Wütend blickte Mr Murdwood auf Fanny hinunter. „Das Klassenzimmer verlassen. Da wirst du wieder Ärger kriegen, mein liebes Mädchen. Wer hat dir gesagt, dass du da draußen sein darfst?"

„Ich", sagte Miss Goodings.

Dankbar drehte Fanny sich um.

„Aber ich denke, du kommst jetzt mal besser wieder rein, nicht?" Und sie legte die Hand auf Fannys Schulter und lenkte sie sanft zurück ins Schulgebäude.

„Willst du es mir erzählen?", fragte sie.

„Nein."

„In Ordnung."

Fanny lächelte sie dankbar an.

„Aber ich glaube, Jack ist es gewohnt, allein rauszu-
gehen, nicht wahr?"

Fanny nickte.

„Wir müssen also deine Mutter nicht anrufen?"

„Nein", sagte Fanny.

„Nun gut", sagte Miss Goodings. „Ich bin mir sicher,
dass ich es nicht verstehe, aber ich werde tun, was du
sagst."

„Danke sehr", sagte Fanny.

„Ist Jack der, von dem ich meine, dass er es ist?",
fragte sie.

„Ich denke schon", sagte Fanny.

„Nun denn", sagte Miss Goodings. „Wie aufre-
gend."

„Ja", sagte Fanny. „In der Mittagspause gehe ich ihn
suchen. Ich mache mir immer noch große Sorgen."

„Komm jetzt", sagte Miss Goodings. „Bis dahin wollen wir dir mal viel zu tun geben. Das ist das Beste,
was man machen kann."

Und so war es auch.

Fanny hoffte, dass Großpapa zur Mittagszeit am
Gartentor schon auf sie warten würde, aber er war
nicht da.

Sie schlich sich ins Haus und schaute verstohlen in
sein Zimmer, aber da war er auch nicht. Sie konnte
ihre Mutter unten im Arbeitszimmer hören, deshalb
bemühte sie sich ganz besonders, leise zu sein. Der

Boden knarrte unter ihren Füßen, aber Fanny ging direkt zu seinem Bett und blickte in den kleinen Schrank, der daneben stand.

Sie war da. Da stand die kleine grüne Flasche. Fanny ergriff sie hastig und steckte sie unter ihren Pullover.

Sie war so aufgeregt, dass sie fast die Treppe hinuntergestolpert wäre und sich verraten hätte, aber es gelang ihr, das Gleichgewicht wieder zu finden und aus dem Haus zu kommen.

WUFF, machte Gilbert glücklich, als er sie im Garten entdeckte.

„Pssst", warnte sie ihn.

WUFF, machte er noch einmal, diesmal lauter.

Zusammen rannten sie davon.

Fannys Mutter streckte den Kopf zum Fenster hinaus und blickte umher.

„Komisch", sagte sie. „Ich dachte, ich hörte …"

WUFF?, machte Gilbert fragend, als sie weit genug vom Haus entfernt waren.

„Mrs May", antwortete Fanny. „Ich habe die Flasche." Sie lief die ganze Zeit mit den Armen über ihrem Pullover gekreuzt, und das war schwierig, so dass sie stehen blieb und die Flasche hervorholte.

„Ich wüsste ja zu gern …", sagte sie.

Sie zog den Korken heraus.

Der wunderbare Duft von Feldern und Wäldern und Wiesen umschwebte sie, so dass sich ihr der Kopf drehte.

„Ich wüsste ja zu gern ...", sagte sie. „Es riecht so wunderbar. Wie kann es wohl schmecken?"

Sie hob die Flasche an die Lippen.

WUFF, warnte Gilbert sie.

„Bloß einmal nippen", erklärte sie. „Das wird doch wohl nichts schaden."

WUFF. Gilbert schlug ganz unglücklich mit dem Schwanz auf den Bürgersteig.

Fanny hielt die Flasche dicht an die Lippen.

„Ich könnte vielleicht gerade eine Woche jünger sein", sagte sie. „Wenn ich es bloß mit meiner Zungenspitze berührte, nur, um mal zu schmecken."

Gilbert sprang hoch und versuchte, ihr die Flasche vom Mund wegzustoßen.

„Vorsicht!", rief Fanny. „Ich lasse sie fallen."

Die Flasche fiel ihr aus der Hand. Fanny bückte sich blitzschnell, spürte sie zwischen den Fingern, sie entglitt ihr wieder, und sie schoss runter, um sie zu packen, bevor sie auf den Pflastersteinen des Bürgersteigs zerschellen konnte.

„Geh weg", warnte sie. „Hör auf. Sie rutscht mir aus der Hand. Du wirst sie noch zerbrechen."

Sie jonglierte vorsichtig mit ihr. Sie war schlüpfrig und wand sich in Fannys Händen. Fast wäre sie ihr entglitten.

WUFF.

„Hör auf!"

Schnapp.

„Da. Ich hab sie."

„Hallo."

Fanny blickte sich um. „Hallo", sagte sie.

Der kleine Junge war nur ungefähr drei oder vier Jahre alt. Er trug Sachen, die lächerlich zu groß für ihn waren, Jeans und ein Sweatshirt. Er trat näher an sie heran und dabei aus seinen Turnschuhen heraus, die dort liegen blieben, wo er gestanden hatte.

„Du hast sie fast zerbrochen", sagte er.

„Ich hab sie aber aufgefangen", sagte Fanny verärgert zu ihm. Es gefiel ihr nicht, von so einem kleinen Kind zurechtgewiesen zu werden.

„Soll ich für dich auf sie aufpassen?", fragte er.

„Du", lachte sie. „Wie könntest du das denn? Du bist zu klein."

Der kleine Junge schaute an sich hinunter, hob dann den Kopf und blickte zu Fanny auf.

„Ich weiß, dass ich klein bin", stimmte er zu, „aber ich hätte gern die Flasche. Damit ich sie der Frau zurückbringen kann."

„Was?", sagte Fanny.

„Ich habe Angst", sagte er. Seine Augen waren feucht. „Bitte, können wir die Flasche vielleicht zurückbringen?"

Fanny starrte ihn an.

„Großpapa?", fragte sie.

„Ja", sagte der kleine Junge. „Komm, Fanny. Nehmen wir die Flasche und gehen."

Fanny schob den altmodischen Riegel hoch und steckte den Kopf zur Tür hinein.

„Mrs May!", rief sie. „Ich bin's, Fanny."

Gilbert bellte, um zu zeigen, dass er auch da war.

„Nur herein. Nur herein", ertönte ihre Stimme.

Im Haus war es still und friedlich.

„Hallo, Jack", sagte sie.

Großpapa nickte ihr zu. Fanny hatte ihm die Hosenbeine der Jeans und die Ärmel seines Sweatshirts hochgekrempelt, aber an den zu großen Turnschuhen hatte sie nichts ändern können, so dass er mit nackten Füßen auf den roten Fliesen des Küchenbodens stand.

Mrs May lächelte ihn an. „Hast du mir etwas mitgebracht?", fragte sie.

Großpapa reichte ihr die Flasche.

Mrs May hielt sie hoch gegen das Licht, um zu sehen, ob sie immer noch voll war. Fanny schaute genau hin. Das Licht vom Fenster schimmerte durch das dunkle Glas der Flasche hindurch. Fanny kam es so vor, als sähe sie darin Bäume und Blumen und Äste, die hin und her schwangen, von Ranken umwunden.

„Ah", sagte Mrs May. „Dann ist ja alles in Ordnung." Und sie stellte die Flasche in ihren Küchenschrank zurück. „Nun denn", sagte sie.

Sie setzte sich auf ihren Holzstuhl mit den geschwungenen Armlehnen und winkte Großpapa zu sich. Er ging zu ihr hin, krabbelte hoch und setzte sich ihr auf den breiten Schoß.

Fanny schaute sie mit Staunen und Verwunderung an. Großpapa ließ seinen Daumen in den Mund gleiten und schmiegte sich an Mrs May, die ihn in die Arme nahm und ihm über das Haar strich.

„Was wollen wir jetzt tun?", fragte sie ihn ruhig.

Großpapa zog seinen nassen Daumen aus dem Mund.

„Ich will wieder zurück", sagte er.

„Willst du das? Willst du das wirklich?"

„Ja."

„Und was ist mit dir, Fanny?"

„Das hat nichts mit ihr zu tun", sagte Großpapa. „Es ist mein Leben. Ich kann wählen."

„Nicht wirklich", sagte Mrs May. „Es war Fanny, die herkam und um den Trank bat. Eigentlich sollte es Fanny sein, die darum bittet, dass es aufhört."

„Aber ich kann so nicht weitermachen", sagte Großpapa. „Ich werde bald ein Baby sein. Und dann …"

„Ja", sagte Mrs May. „Und dann."

„Was können wir tun?", fragte Fanny.

„Wir können weitermachen", sagte Mrs May, „und sehen, was passiert. Oder wir können alles in den früheren Zustand zurückversetzen."

„Genau so, wie es war?", fragte Fanny.

„Genau so", warnte Mrs May.

„Oder?", fragte Fanny.

„Ich habe gehofft, dass du das nicht fragen würdest",
sagte Mrs May.

„Oder?", sagte Fanny.

„Oder, denk ich mal", sagte Mrs May, „wir könnten
uns für ein bestimmtes Alter entscheiden und ihn in
dem Alter halten."

„Für immer?", fragte Fanny.

„So gut wie für immer", sagte Mrs May.

„Hört mal", protestierte Großpapa. „Hört auf, über
mich zu reden, als wäre ich gar nicht da."

„Das ist das Schwierigste", sagte Mrs May zu Fanny.
„Aber wir könnten es tun."

„Er würde also die ganze Zeit Großpapa sein?"

„Die ganze Zeit", stimmte Mrs May zu.

„Aber nicht krank und elend?"

„Nein, nicht krank und elend. Aber alt, wenn du so
willst. So, wie du ihn in Erinnerung hast. So, wie du
ihn gewollt hast. So, wie er geblieben wäre, wenn er
nur die Flasche nach einem Schluck zurückgebracht
hätte."

Großpapa rutschte unruhig hin und her.

„So hätte ich es am liebsten", sagte Fanny.

„Nein, hättest du nicht", sagte Großpapa. „Ihr dreht
mein Leben um und lasst mich wieder älter werden."

Mrs May blickte Fanny an und wartete.

Gilbert leckte Fanny die Hand.

Fanny schaute Großpapa an. Seine kleinen Hände
waren schon dabei, in den aufgerollten Ärmeln des

Sweatshirts zu verschwinden. Er wurde immer schneller jünger.

„Ich will dich für immer bei mir haben", sagte sie zu ihm. „Ich will dich so zurückhaben, wie du damals warst, an jenem ersten Tag. An dem Tag, an dem wir an den Strand gefahren sind und Laurie getroffen haben."

„Ich habe genug von Stränden", sagte Großpapa mit leiser Stimme, „und von Krabben und Autos und Schulen. Denkt doch mal an Tommy Ellis und Stan French."

Fanny wischte sich mit dem Ärmel über die Augen. „Und Tony James."

„Und Timmy Smail", sagte Mrs May. „Und Hilda Russell."

„Stimmt", sagte Großpapa. „Und Patty", fügte er hinzu.

„Und Patty", pflichtete Mrs May ihm bei.

„Es ist allmählich an der Zeit", sagte Großpapa.

„Was meinst du?", fragte Mrs May Fanny.

„Ich glaube auch", sagte Fanny sehr, sehr still.

Mrs May holte die klare Glasflasche mit der weißen Flüssigkeit herbei. Die Silberblitze, die von ihr ausgingen, waren sogar heller als das klare Sonnenlicht, das durchs Fenster fiel.

„So viel du willst", sagte sie zu Großpapa. „Es kommt nicht darauf an." Großpapa tat einen tiefen Zug und setzte dann keuchend ab.

„Es schmeckt wunderbar", sagte er. „Sogar besser als der grüne Trank. Darf ich?"

„Natürlich", sagte sie. „So viel du willst."

Großpapa trank noch einmal.

„Danke", sagte er.

Mrs May beugte sich vor und drückte einen Kuss auf seine Wange. Er lächelte zu ihr hoch.

„Komm mit", sagte er zu Fanny.

Fanny nahm seine kleine Hand in die ihre und führte ihn nach Hause.

„Was wird nun geschehen?", fragte sie ihn.

12. Kapitel

Großpapa war sehr müde, als er mit Fanny zu Hause ankam, so dass er ein heißes Bad nahm und direkt zu Bett ging. Heimlich und leise schaute Fanny in seinem Zimmer nach ihm, als sie selbst fertig war, ins Bett zu gehen. Sein braunes Haar breitete sich auf dem Kopfkissen aus. Seine kleinen rosigen Wangen waren leicht eingehöhlt, weil er am Daumen lutschte. Er sah so lieb, friedlich und zufrieden aus, dass Fanny ihn am liebsten wie ein kleines Hündchen gestreichelt hätte.

„Gute Nacht, Großpapa", sagte sie. Und sie gab ihm einen Kuss.

Fanny dachte, sie würde vielleicht schlecht schlafen und sich Sorgen über Großpapa machen, aber sobald sie sich im Bett auf die Seite gedreht hatte, fiel sie glücklicherweise in einen Traum.

Flugzeuge kreisten bei Vollmond über einer Stadt. Sie warfen Bomben ab, hinein in die sanfte Dunkelheit. Überall um sie herum flammten Feuer auf, aber sie hatte keine Angst, und keine Feuerzunge sengte ihr auch nur das Haar.

„Hallo", sagte Großpapa.

„Hallo", sagte Fanny, und sie ließ ihre Hand in seine gleiten. Er war wieder jung, kein Kind oder Junge, sondern ein junger Mann. Gemeinsam gingen sie durch die brennende Stadt. Fanny konnte das Fleisch riechen, das in den Metzgereien briet.

Einige Leute rannten umher, geschäftig, ängstlich, zielstrebig oder einfach verwirrt. Sie richteten Wasserschläuche auf Flammen, aber sowie ein Feuer gelöscht war, flammten zehn andere auf. Sie rannten, um Schutz zu finden, wo es keinen Schutz gab. Sie verfluchten den Mond, weil er so hell leuchtete, und die Flugzeuge, weil sie so dunkel waren.

Andere, viele andere, beachteten gar nicht, was um sie herum geschah, und fassten einander an den Händen und machten sich auf, alle in dieselbe Richtung. Ruhig schritten sie durch die Trümmer und die Glut hindurch. Junge Männer nahmen Kinder auf den Arm und trugen sie fort. Junge Frauen ergriffen die älteren Kinder bei der Hand und halfen ihnen, sich von Dingen zu lösen, die sie zurückhielten. Alte Leute standen vertrauensvoll auf und gingen mit den anderen davon.

„Da", sagte Großpapa und wies mit dem Finger. „Da ist sie."

„Wo?", fragte Fanny.

„Hier drüben!", rief Großpapa.

Ein Mädchen, vierzehn, vielleicht fünfzehn Jahre alt, drehte sich um und wartete.

„Hier!", rief Großpapa wieder und winkte.

Das Mädchen winkte zurück.

„Auf Wiedersehen", sagte er zu Fanny.

„Ich komme mit dir", sagte sie.

„Noch nicht", sagte Großpapa. „Ist noch jede Menge Zeit."

Er ließ ihre Hand los, beugte sich hinunter, um ihr einen Kuss zu geben, und ging auf das Mädchen zu.

„Warte!", rief Fanny.

Sie versuchte, ihm nachzulaufen, aber sie stolperte und verstauchte sich den Knöchel. „Warte!"

Großpapa ergriff die Hand des Mädchens, sie lächelten einander an, dann winkten sie gemeinsam Fanny zu und gingen mit den anderen davon.

„Halt!", rief Fanny. „Du kannst mich doch nicht verlassen." Sie blickte zum dunklen Himmel hoch. Immer noch fielen die Bomben, schneller und dichter. Sie drangen in den Boden ein, dass er erzitterte, und brachen auf wie Blüten aus Feuer. Fanny konnte jetzt die Hitze auf ihren Wangen spüren, aber sie konnte sich nicht fortbewegen von dort, wo sie hingefallen war. „Warte!", rief sie. „Großpapa, hilf mir!"

Sie fing an zu schluchzen, und das Schluchzen in ihr wurde immer lauter und lauter und übertönte das Dröhnen der Flugzeuge, bis sie nichts anderes mehr hören konnte als Weinen.

Die Feuer leuchteten grell auf, so dass ihr die Augen schmerzten. Sie ballte ihre Hände zu Fäusten und rieb sich die Augen. Noch stärker hörte sie es jetzt schluchzen. Fanny nahm die Hände von den Augen und sah, dass der Vorhang vor ihrem Fenster beiseite geweht war, so dass die Morgensonne ihr ins Gesicht stach. „Äh?", ächzte sie.

Das Schluchzen, das jetzt leiser war, aber immer noch anhielt, drang ihr in die Ohren, und sie schlüpfte aus dem Bett, um nachzusehen.

„Schon gut, Fanny", sagte ihr Vater, nahm sie in die Arme und hob sie hoch, als sie auf den Flur hinaustrat. „Es ist alles in Ordnung." Seine Augen waren gerötet, aber sie hörte es immer noch schluchzen.

„Was ist denn los?"

„Es ist alles in Ordnung, Fanny", sagte er wieder.

„Na gut", stimmte sie zu. „Aber was ist los?"

Die Tür zu Großpapas Zimmer öffnete sich, und ihre Mutter trat heraus. Sie schloss sie schnell wieder hinter sich, atmete tief durch und putzte sich die Nase. Das Schluchzen hatte jetzt aufgehört.

„Kann ich Großpapa sehen?", fragte Fanny.

„Ich glaube, das solltest du nicht tun", sagte ihre Mutter.

Als Crawly und Onkel George und Tante Nell und Schnief-Clara im Haus gewesen waren, hatte Fanny gewusst, dass sie Großpapa nie sehen wollte, wenn er tot war. Das war jetzt anders.

Sie versuchten nicht, sie aufzuhalten, als sie die Tür öffnete und ins Zimmer hineinging.

* * *

„Nun", sagte Mrs May. „Das ist es dann also."

„Danke, dass Sie gekommen sind", sagte Fannys Mutter. „Kommen Sie noch zum Tee zu uns?", fragte ihr Vater.

„Danke, gern", sagte Mrs May.

„In Ordnung, Fanny?", fragte ihr Vater.

Fanny lächelte sie alle an. Sie wusste, wenn sie versuchen würde, etwas zu sagen, würde sie wieder anfangen zu weinen.

Onkel George und Tante Nell und Crawly und Tante Clara schauten sie und ihre Eltern und Mrs May durch die Fenster des großen schwarzen Autos hindurch an.

„Mit ihr ist alles in Ordnung", sagte Mrs May.

Onkel George blickte auf seine Uhr.

„Wir steigen mal lieber ein", sagte Fannys Mutter.

Fanny schaute hinüber zu den Männern, die die krümelige Erde schaufelten.

„Kann ich nicht ein bisschen bleiben?", fragte sie mit zittriger Stimme.

„Du solltest lieber nach Hause kommen", sagte ihre Mutter. Sie legte ihren Arm um Fanny. „Jetzt ist es vorbei. Zeit, nach Hause zu fahren."

„Steigen wir ins Auto", sagte Fannys Vater.

„In dem Ding da kann ich nicht zurückfahren", sagte Mrs May. „Das würde mir die Beine kaputtmachen. Lassen Sie mich nach Hause laufen, zusammen mit Fanny."

Gemeinsam standen sie da und beobachteten, wie das Auto davonfuhr.

WUFF. Gilbert sprang hinter einem Grabstein hervor.

„Oh, so ein guter Hund", sagte Fanny mit normalerer Stimme. „So ein guter Hund. Du bist also doch gekommen."

WUFF. Gilbert lief hinüber zu dem frischen Grab. Fanny und Mrs May folgten ihm.

Der vertraute, durchdringende Geruch nach Bäumen und Gras und vielfältigem Wuchs stieg auf, als die Totengräber ihre Spaten in die lose Erde stießen und sie ins Grab zurückschaufelten.

„Ich habe gedacht, er würde immer noch ein Junge sein", sagte Fanny.

„Nein", sagte Mrs May.

„Aber er sah so aus wie immer. Graues Haar, Falten, diese merkwürdigen braunen Flecken auf seinen Handrücken."

Die Totengräber strichen das frische Grab oben glatt, traten zurück, nickten zufrieden, schulterten ihre Spaten und gingen davon.

„Ich habe ihm übers Haar gestrichen", sagte Fanny. „Dann habe ich ihm einen Kuss auf die Wange gegeben und auf Wiedersehen gesagt."

„War es all das wert?", fragte Mrs May.

„O ja", sagte Fanny. „Das war es wert. Den Tag am Meer werde ich nie vergessen."

WUFF, pflichtete Gilbert bei.

„Und auf dem Fluss", sagte Fanny. „Er sah so komisch aus, wie er da an der Stange hing."

Mrs May zog an einem kleinen Ast von einem Baum. Der kämpfte darum, da zu bleiben, wo er war. Das Holz war feucht und biegsam und wollte nicht brechen. Mrs May musste den Ast drehen und winden, um ihn abzubrechen. Sie ließ ihn auf Großpapas Grab fallen. „Auf Wiedersehen", sagte sie.

Sie nahm Fanny bei der Hand und führte sie fort.

„Nur nicht zu schnell", sagte sie. „Sonst wird mir zu warm bei diesem Sonnenschein."

„Aber er hätte nicht dableiben können", sagte Fanny.

„Nein", stimmte Mrs May zu.

„Ich wünschte, wir müssten nicht zurückgehen", sagte Fanny. „Ich will nicht mit ihnen reden."

„Kopf hoch", sagte Mrs May. „Sie werden schon bald alle fort sein."

„Ich weiß wirklich nicht, was ...", sagte Tante Nell.

„... in ihn gefahren war", sagte Onkel George. „Ein Mann in seinem Alter, und läuft da herum ..."

„... wie ein Teenager", sagte Tante Nell.

„Schnief."

„Und", fuhr sie fort, „er war kein gesunder ..."

„... Mann", sagte Onkel George. „Es hätte sein ..."

„... Tod sein können", sagte Tante Nell.

„Nein!", sagte Fanny scharf. „Das dürft ihr nicht

sagen. Ich werde …" Aber bevor sie noch sagen konnte, was sie tun wollte, wurde sie unterbrochen.

RAT-A-TAT-TAT! Fannys Mutter ließ einen Diener ein mit einem riesengroßen Weidenkorb.

„Ist Mr Doolan schon hier?", fragte er.

„Es gibt hier keinen Mr Doolan", sagte ihr Vater.

Der Diener holte tief Luft und ließ seine Brust in der gestreiften Weste würdevoll anschwellen. „Dann muss ich warten, bis er kommt", sagte er.

„Nein", sagte Onkel George, „es gibt hier keinen …"

„… Mr Doolan", sagte Tante Nell. „Es wäre also besser, wenn Sie …"

Der Diener blickte beide mit völliger Verachtung an und blieb, wo er war.

„… jetzt gehen würden", sagte Onkel George. „Sie können nicht hier bleiben. Das hier ist eine …"

„Schnief."

RAT-A-TAT-TAT!

„Trauerfeier", sagte Tante Clara.

„Wer um alles in der Welt könnte das sein?", fragte Fannys Vater.

„Oh, Sie sind alle da", sagte Mr Doolan. „Tut mir Leid, wenn ich mich ein bisschen verspätet habe."

Er war groß und hager und trug eine schwarze Jacke und gestreifte Hosen.

„Gut. Sie haben den Präsentkorb mitgebracht, Flannell", sagte er zu dem Diener. Der Diener stand stramm.

„Der verstorbene Mr Blake hat mich gebeten, sein Testament zu verlesen und den Nachlass sofort zu verteilen", sagte Mr Doolan.

Die Gesichter von Onkel George und Tante Nell und Tante Clara verloren plötzlich alle Feindseligkeit und wurden ganz Aug und Ohr.

„Tut uns schrecklich …"

„… Leid. Es war uns …"

„… nicht bewusst, dass Sie …"

„… Notar sind. Möchten Sie nicht …"

„… ein Schinkensandwich?", sagte Tante Nell.

„… sich setzen", korrigierte Onkel George mit finsterem Blick.

„Sehr freundlich von Ihnen", sagte Mr Doolan. „Keine Zeit, fürchte ich. Muss mich beschränken auf …"

„… das Geschäftliche", sagten Onkel George und Tante Clara wie aus einem Mund, ganz eifrig.

„Er wusste, dass ich die Uhr da haben wollte", sagte Tante Nell.

„Und er hat mir sein Haus versprochen", sagte Onkel George. „Es hat irgendwo in einem Brief an mich gestanden, aber ich habe ihn womöglich verloren. Aber versprochen hat er's mir."

„Ähemm", räusperte sich Mr Doolan. „Die Wünsche von Mr Blake sind völlig klar und eindeutig in seinem Testament niedergelegt", sagte er.

„Aber er könnte es sich anders …"

„… überlegt haben. Er war …"

„… krank."

„Mr Blake hat mich erst vor wenigen Tagen aufgesucht", sagte Mr Doolan. „Und es hat mich sehr erfreut zu sehen, wie gesund er aussah. So gesund, in der Tat, dass ich ebenso überrascht wie traurig bin, seine letzten Wünsche so bald, nachdem er ihnen Ausdruck verliehen hatte, hier auszuführen."

„Nun mach schon", flüsterte Crawly.

Fanny kniff ihn kräftig. „Du Mistkerl", sagte sie. „Dir ist Großpapa ganz egal, allen von euch. Ihr seid bloß hier wegen dem, was ihr kriegen könnt."

„Auuua!", beschwerte sich Crawly. „Sie hat mich gekniffen."

„Ach, sei …"

„… still."

„Schnief."

„Das Dokument ist datiert und bezeugt und lautet folgendermaßen", sagte Mr Doolan. „‚Ich, Jack Blake, treffe hiermit in voller Geistesklarheit die Verfügung zur Verteilung aller meiner …'"

„Können Sie es uns nicht …"

„… einfach sagen? Müssen Sie das Ganze …"

„… vorlesen?"

Mr Doolan zuckte mit seinen dürren Schultern und lächelte vor sich hin, weder warm noch gut gelaunt. „Mr Blake hat mich in der Tat gewarnt, dass es vielleicht ein Verlangen geben könnte, den Inhalt des

Testaments rasch zu erfahren, und er hat mir seine mündliche Erlaubnis gegeben, das Verlesen auszusetzen und sofort zur Verteilung zu schreiten."

„Ja", sagten die anderen.

„Der Korb, Flannell", sagte Mr Doolan.

Mit elegantem Schwung warf Flannell den Deckel des Präsentkorbs auf und zog eine riesengroße Flasche Champagner heraus. POP.

Fachkundig hielt er die Flasche, so dass nicht ein Tropfen des schäumenden Weins herausschwappte, füllte dann rasch die Gläser und reichte sie herum.

Onkel Georges Augen funkelten wie der Wein.

„Das ist spendabel", sagte er, „äußerst …"

„… verschwenderisch", beendete Tante Nell den Satz. „Dieses Geld hätte gespart werden können …"

„Ich denke, dass Großpapa mit seinem eigenen Geld tun und lassen konnte, was er wollte", sagte Fannys Vater. Er erhob sein Glas. „Famos, Großpapa."

„Schnief."

Dann kam Orangenlimonade zum Vorschein und wurde Fanny und Crawly eingeschenkt.

„Haben wir alle ein Glas?", fragte Mr Doolan.

WUFF, machte Gilbert.

Flannell holte einen riesengroßen Knochen heraus mit einem roten Bändchen drum herum.

WUFF, machte Gilbert dankbar.

„Dann also", sagte Mr. Doolan, „jetzt zum Nachlass." Die Tanten und der Onkel und Crawly beugten sich vor. Fannys Vater und ihre Mutter hielten sich an den Händen, blickten aus dem Fenster und nippten an ihrem Champagner.

Flannell holte ein Päckchen heraus mit der Aufschrift „George und Nell, um euch zum Ende durchzuhelfen" und noch eins, ein kleineres, mit der Aufschrift „Clara, um für alle deine Bedürfnisse zu sorgen" und ein drittes mit der Aufschrift „Crawly, um dir zu helfen, deinen Platz im Leben zu finden". Jeder von ihnen schnappte sich sein Päckchen und wartete.

„Noch irgendetwas?", wollte Onkel George wissen.

„Nein", sagte Mr Doolan.

Sie grinsten.

„Ich will nichts", sagte Fanny.

„Das kommt davon, dass du Großpapa aufgeregt hast", sagte Crawly. „Deshalb hat er dir überhaupt nichts hinterlassen."

„Pst, Crawfy", sagte Onkel George. „Sei nicht …"

„… hämisch", sagte Tante Nell. „Ich bin ganz sicher, dass es ihnen jetzt …"

„… Leid tut, wie sie …"

„… Großpapa behandelt haben."

„Schnief."

Fanny spürte, wie ihr das Herz klopfte. Sie erinnerte sich daran, was Großpapa gesagt hatte. „Wollt ihr sie nicht aufmachen?"

„Vielleicht sollten …"

„… wir's tun. Es ist …"

„… eine Erbschaft. Um uns durchzuhelfen, mit genügend …"

„… Geld, bis zum Ende …"

„… unseres Lebens. Uns …"

„… allen."

„Schnief."

Triumphierend blickten die Verwandten einander an, dann rissen sie das Papier von ihren Päckchen.

„Es ist ein …"

„… Wörterbuch."

„Taschentücher."

„Igitt! Ein scheußliches Buch über Insekten und Schnecken und Spinnen und lauter so eklige Kriechtiere."

„Ähemm", räusperte sich Mr Doolan. Er las aus dem Testament vor. „„Die versiegelten Päckchen stellen die gesamte Erbschaft für diejenigen Mitglieder meiner Familie dar, die sie erhalten, zusammen mit einem Glas Champagner oder Orangenlimonade. Das Verbleibende …'", er machte eine Pause, blickte Fanny über den Rand seiner Brille hinweg an und sagte zu ihr: „Das heißt, alles andere, ,… erhält meine Enkelin Fanny Blake.' Das bist du."

Gilbert leckte Fanny die Hand.

„Was wollen Sie damit sagen?", fragte sie.

„Du sollst nicht …"

„… so laut sprechen", sagte Onkel George.

„Ich will damit sagen", antwortete Mr Doolan, „dass du ganz und gar alles von deinem Großvater geerbt hast, außer jenen drei Geschenken."

„Das ist ja …"

„… unerhört."

„Schnief."

„Das werden wir …"

„… vor Gericht anfechten. Er muss völlig …"

„… verrückt gewesen sein, so einfach …"

„… alles zu vermachen dieser …"

„… dieser …"

„… dieser …"

„… dieser …"

Onkel George und Tante Nell fanden keine Worte.

„Schlagt im Wörterbuch nach", sagte Fannys Vater.

„Wir kriegen schon noch unsern …"

„… Anteil. Da macht euch mal …"

„… keine Sorgen. Wir kriegen schon noch, was …"

„… uns zusteht", warnten sie.

„Aber ich will es gar nicht", sagte Fanny. „Ich will bloß …"

„Was?", schnauzte Onkel George. „Was …"

„… willst du?"

„Ich will bloß Großpapa zurückhaben", begann Fanny. Dann dachte sie kurz nach und verbesserte sich. „Nein, will ich nicht", sagte sie. „Ich will ihn nicht zurückhaben. Ich will, dass er dort ist, wo er meinte, dass er sein sollte."

„Wo immer das ist", fügte Mrs May hinzu, die die ganze Zeit schweigend dagesessen hatte.

„Ja", sagte Fanny.

„Seht ihr", sagte Tante Nell. „Sie will, dass er …"

„… tot ist", sagte Onkel George.

„Warum denn nicht?", sagte Fanny. „Das scheint das Beste zu sein."

Unter den Verwandten gab es Aufruhr und Empörung. Fannys Vater leerte sein Glas und sagte: „Also raus mit euch. Alle."

„Was?"

„Schnief."

„Wo?"

„Raus. Die ganze Sippschaft. Ich will euch nicht wieder sehen."

Mit spitzen Fingern nahm ihnen der Diener die Gläser aus der Hand, legte ihnen seine Hände auf den Rücken und schob die laut Protestierenden mit Nachdruck zum Haus hinaus.

„Das steht auch im Testament drin", sagte Mr Doolan. „Sie sollen aus dem Haus hinausgeschoben werden, sobald Sie das sagen." – WUFF. – „Das denke ich auch", stimmte Mr Doolan ihm zu.

Flannells gestreifte Weste hinderte die Verwandten daran, wieder ins Haus zurückzukehren. Widerwillig verdrückten sie sich den Gartenweg hinunter, als er sie davontrieb.

Fanny flüsterte Mr Doolan etwas zu.

„Mabel?", sagte er. Fanny nickte.

„O ja, alles", versicherte er ihr. „Das ist völlig klar."

„Ganz allein für mich?"

„Ja. Natürlich darfst du sie noch nicht fahren. Erst, wenn du älter bist."

Fanny blickte ihre Eltern an. „Bitte", sagte sie.

„Großartige Idee", stimmte ihr Vater zu.

„Könnte mir nichts Besseres vorstellen", sagte ihre Mutter. „Mrs May?"

„Ich würde sehr gern mitkommen", sagte sie.

WUFF.

Mr Doolan führte sie den Gartenweg hinunter, stieß die Verwandten mit dem Ellbogen beiseite und hielt die Tür von Mabel auf.

TÖÖT!

„Was für ein …"

„… Anblick. Das ist eine …"

„… Schande."

WUFF.

TÖÖT!

Flannell legte die riesengroße Flasche Champagner zu ihnen ins Auto.

GRAAAGGHH. Zitternd erwachte Mabel zum Leben.

„Wohin?", fragte Fannys Vater.

„Irgendwohin", sagte Fanny. „Nur weg von denen da."

Fannys Mutter ließ die Kupplung kommen, und Mabel ruckte an.

„Weg sind wir." Sie jubelten und winkten den wütenden Verwandten zu.

„Und wir werden ewig weiterfahren", sagte Fannys Vater.

„Nein", sagte Fanny. „Nicht ewig. Bloß lange genug. Bloß, bis es Zeit wird."

„Zeit wofür?", fragte er.

WUFF, machte Gilbert.

„Zeit zu gehen", sagte Fanny.

TÖÖT!

Das Geschimpfe und Gemurre der Verwandten wurde leiser und leiser, als sie davonfuhren, bis sie völlig verschwanden, wie aufgelöst in der Ferne und im glücklichen Lachen Fannys und in den fröhlichen Rufen ihrer Eltern.

Toby Forward

wurde 1950 in Coventry geboren, studierte am Cuddesdon College in Oxford Theologie und arbeitete als Pfarrer, Universitätskaplan und Lehrer. Inzwischen ist er in England als Autor spannender Kinderbücher sehr bekannt und lebt mit seiner Frau und zwei Töchtern in Beverly, Yorkshire. Im *Kinderbuch Verlag Berlin* ist von ihm bereits die von Charles Dickens inspirierte Erzählung **Die Weihnachtsmaus** – mit wunderschönen Illustrationen von Ruth Brown – erschienen.

Die Deutsche Bibliothek – CIP-Einheitsaufnahme

Ein Titeldatensatz für diese Publikation ist bei
Der Deutschen Bibliothek erhältlich

Kibu® Kinderbuch
Text © Copyright 1992 by Toby Forward
First published 1992 by Andersen Press Limited, London
Original title: Travelling Backwards
Für die deutschsprachige Ausgabe
© Copyright Middelhauve Verlags GmbH, D-81675 München
für Der KinderbuchVerlag Berlin, D-10711 Berlin
Umschlagillustration u. Vignetten: Egbert Herfurth

Printed in Germany

ISBN 3-358-02244-7